ENSALADAS
otro concepto

ENSALADAS
otro concepto

María Nieves Ramos Pol

HISPANO EUROPEA

Es propiedad, 2011
© María Nieves Ramos Pol

© de la edición en castellano, 2011
Editorial Hispano Europea, S. A.
Primer de Maig, 21 - Pol. Ind. Gran Via Sud
08908 L'Hospitalet - Barcelona, España.
E-mail: hispanoeuropea@hispanoeuropea.com

Portada	María Nieves Ramos Pol
Fotografía	Alexander Pfältzer y María Nieves Ramos Pol
Dirección artística	Alexander Pfältzer y María Nieves Ramos Pol
Textos	María Nieves Ramos Pol
Diseño gráfico	Alexander Pfältzer y Eduardo Ramos

Depósito Legal: B. 10.537-2011

ISBN: 978-84-255-1976-5

Consulte nuestra web:
www.hispanoeuropea.com

Impreso en España
T. G. Soler, S. A.
Enric Morera, 15
08950 Esplugues de Llobregat (Barcelona)

AGRADECIMIENTOS

Un profundo agradecimiento a Manuel García por compartir conmigo sus conocimientos durante más de 20 años.

A Alexander por su estímulo, ayuda y paciencia, probando todas las tardes, después del trabajo, mis ensaladas.

A Marilena, que gracias a su fiel e inmejorable actitud ha hecho posible que yo dispusiera del tiempo que necesitaba para realizar este libro.

A Wilmer por prestarme su magnifico equipo fotográfico.

A Antonio Borderías por ser el que me sugirió esta idea y me animó a desarrollarla.

Al equipo del Herbolario Hojas Verdes y a mi familia.

Gracias a todos.

"El conocimiento nos da la opción de elegir"

Dedicado a la Lechuga, la Zanahoria, el Tomate y al Aceite; a la Col, al Rábano, a la Cebolla, al Perejil...
A la Tierra que nos da la vida.

ÍNDICE

PRESENTACIÓN

Con casi 20 años en contacto directo con la alimentación natural, me he dado cuenta de que a muchas personas les resulta difícil cambiar algunos hábitos. Hoy me gustaría trasmitir mi experiencia y llegar de alguna forma, a simplificar la manera de comer, sin perder por ello, sabor, color, alegría y un gran etcétera.

Muchas veces me tropiezo con comentarios como ¡siempre lechugas en las ensaladas! o ¡las ensaladas me aburren! Les tengo que decir que no es cierto. Sólo que nos hemos olvidado de los diferentes sabores que podemos encontrar en los aceites, plantas aromáticas, especias, semillas, vinagres y en muchos vegetales que podemos usar crudos, aportándonos la posibilidad de ampliar nuestro paladar y beneficiándonos de sus propiedades. Es por eso como surgió la idea de este libro. Las recetas que se exponen son sencillas, baratas y divertidas.

En él encontrarás ensaladas con un enfoque diferente, sólo con vegetales crudos, manteniendo así, todos sus nutrientes y beneficios. Con comentarios sobre sus propiedades aprenderás a utilizarlos aportando a tu organismo bienestar y salud.

No hay memoria gustativa única, sino que existen gustos, sabores y aromas que nacen, crecen y mueren como nuestra propia vida, y que el cerebro nos ofrece la oportunidad, una vez más, de salir del aburrimiento y de la monotonía de los gustos de siempre.

Una receta de cocina nunca debería de ser una fórmula matemática, sino un estímulo que nos ayude a ampliar nuestra creatividad a la hora de combinar los ingredientes. Con conocimiento y un poco de valentía nuestra cocina se puede convertir en un lugar donde creamos salud, aportando a nuestra familia y a nosotros mismos, la posibilidad de disfrutar de los beneficios que la naturaleza nos proporciona.

Una alimentación consciente nos ayudará a paliar el agotamiento, lograr plenitud de energía y mantener nuestras capacidades físicas e intelectuales en un óptimo estado.

Recuerden siempre que los ingredientes indispensables para que una receta salga bien y nos aporte todas sus propiedades son el cariño, el placer y la gratitud que le trasmitimos a los alimentos; y que empieza desde el instante en que los pensamos, pasando por la actitud que tenemos en el momento de comprarlos y nuestros sentimientos a la hora de cocinarlos. Si mantenemos esta conciencia y el deseo de conocer nuevos sabores, les garantizo que fácilmente conseguiremos un sabroso y apetecible plato, elevando al más humilde de los vegetales a la categoría del más exquisito de los manjares.

¡Atrévete a experimentar! Si sale bien, fantástico, y si no, aprenderemos. De cualquier forma siempre nos hará avanzar y nos ayudará a hacernos más libres.

EL POR QUÉ DE LOS VEGETALES CRUDOS

Las recetas que aquí presentamos se elaboran con productos frescos que no vamos a cocinar con el fin de preservar al máximo las cualidades nutritivas de los ingredientes que contienen. Cuanto más elaboramos y procesamos los alimentos más nos alejamos de sus beneficios. Si además le añadimos fuego o calor, destruimos una importante cantidad de vitaminas y otros fitonutrientes indispensables para la salud, sin mencionar que el fuego transforma la energía vital original en algo inerte.

La alimentación que elijamos debe aportarnos energía, el poder de depurar, procurar un efecto relajante y tener un sabor natural. Ese es el principal motivo de usar vegetales crudos en este libro.

Los vegetales están en su máximo de riqueza nutritiva y energética cuando aún están en su hábitat natural y se les ha dejado madurar en su propio medio sin que la mano del hombre haya intervenido para acelerar los procesos. También debemos tener en cuenta que las tierras donde se cultiva se han empobrecido de nutrientes, sin olvidar los productos químicos con los que se pretende suplir estas carencias y que se añaden al sustrato de manera poco natural. Son éstos y otros muchos factores los que nos hacen decidir comprar los productos que da nuestra zona (el tiempo que se tarda desde la recolección, a nuestra mesa es menor), elegir vegetales de temporada (la naturaleza sabe qué tipo de nutrientes necesitamos en cada estación del año) y siempre que sea posible, ecológicos (su riqueza, es mayor y carece de venenos).

Existe una amplia variedad de verduras, hay que aprender a utilizarlas y experimentarlas, aprovechando al máximo sus propiedades, para ayudar a nuestro cuerpo a encontrar el equilibrio que tanto busca.

Si nos nutrimos a diario del dulce natural que contienen los vegetales, no tendremos que ir buscando un dulce extremo (chocolates, azúcar, productos de pastelería...) y, con ello no tendremos los altibajos físicos y emocionales que un azúcar refinado nos puede causar.

Teniendo en cuenta los factores antes mencionados, nos podemos hacer una idea más consciente de qué comemos. Con todas estas pequeñas reflexiones, no quiero alarmar a nadie, sino despertar una mayor inquietud y curiosidad sobre cómo comemos, y de qué forma preparamos los alimentos para ser asimilados, valorando el papel que los vegetales tienen en nuestra vida.

LOS ACEITES
Su beneficio en nuestra salud

Existen diversos tipos de aceite en el mercado, pero solo nos vamos a referir a los prensados en frío, obtenidos mediante extracción exclusivamente mecánica, sin intervención de calor ni disolventes, preservando de este modo la proporción de ácidos grasos esenciales, vitamina E y antioxidantes naturales.

Los aceites son una parte fundamental de nuestra alimentación por su aporte en nutrientes esenciales, como los ácidos grasos que necesitamos ingerir porque nuestro organismo, por sí solo, es incapaz de sintetizarlos.

Los aceites vegetales comestibles tienen una función vital en nuestro cuerpo y constituyen una de las más importantes fuentes de energía. Indispensables para mantener el equilibrio de lípidos, colesterol y lipoproteínas que circulan en la sangre, proporcionan vitaminas A, D, E y además, tienen la capacidad de resaltar muchas de las características sensoriales de los alimentos, como el sabor, el aroma y la textura.

Nombraremos las principales características de los que hemos utilizado en este libro.

ACEITE DE OLIVA VIRGEN, *de 1ª presión en frío.*

Favorece la absorción del calcio y la mineralización. Indicado para las enfermedades relacionadas con el hígado, cardiovasculares y del aparato digestivo, estimulando la vesícula biliar. Tiene efectos anticancerígenos.

ACEITE DE SEMILLAS DE GIRASOL, *de 1ª presión en frío.*

Es un aceite muy rico en vitamina E. Ayuda a reducir el riesgo de sufrir problemas circulatorios e infarto. Es un gran regulador del metabolismo del colesterol, muy adecuado en casos de arterioesclerosis.

ACEITE DE SÉSAMO, *de 1ª presión en frío.*

Es muy rico en vitamina B1 (tiamina), vitamina E y minerales tales como calcio, hierro y zinc. También, podemos encontrar abundantes acido grasos poliinsaturados ricos en Omega 6. Es muy beneficioso en trastornos del sistema nervioso y nos ayuda a mejorar la memoria.

ACEITE DE SEMILLAS DE CALABAZA, *de 1ª presión en frío.*

Es un aceite rico en ácidos grasos poliinsaturados beneficiosos en el tratamiento de enfermedades de vejiga y próstata. También se prescribe como remedio para infecciones del tracto intestinal y parásitos (lombrices).

ACEITE DE ARGÁN, *de 1ª presión en frío.*

El árbol de Argania Spinosa, que crece sólo en el suroeste de Marruecos, es por sus características, un árbol único en el mundo. Hace aproximadamente dos décadas, los análisis químicos realizados al aceite de Argán, confirmaron sus valiosas propiedades nutricionales y dermatológicas. El aceite de Argán además de una elevada cantidad de vitamina E, contiene un 80% de ácidos grasos esenciales, siendo 45% ácido oléico y 35% linoléico.

ACEITE DE NUEZ, *de 1ª presión en frío.*

Sin duda una exquisitez, tanto su sabor como en sus beneficios en la salud. Altamente insaturado, presenta buenas propiedades: antienvejecimiento, regenerativas y tonificantes. Con un alto contenido en minerales (destacando el potasio, el fósforo, magnesio, hierro) y en ácidos grasos poliinsaturados omega 3 y 6.

ACEITES AROMATIZADOS

Resulta muy cómodo tener a mano, para la ensalada y ciertos platos, un aceite aromatizado. Prepararlo es muy sencillo:

1. *Rellene un frasco, totalmente limpio (escaldado y bien seco), con aceite de oliva virgen.*

2. *Añada ajo, hierbas aromáticas (estragón, tomillo), jengibre pelado y cortado en láminas o laurel, pimiento rojo, pimienta en grano, semillas de cilantro, canela, o incluso toronjil, al gusto.*

3. *Cierre herméticamente el frasco.*

4. *Déjelo reposar algunas semanas en un lugar fresco y oscuro.*

5. *Después, pruébelo. Si el sabor está a su gusto, fíltrelo y viértalo en otro frasco. Después utilícelo con normalidad. Algunos aceites combinan mejor con ciertas especias: el aceite de oliva, con las hierbas del mediterráneo (ajo, albahaca, tomillo, ajedrea, laurel, hinojo).*

El aceite de sésamo o de girasol mezcla bien con las especias exóticas (toronjil, jengibre, lima).

El aceite de nuez es exquisito con canela y cilantro.

ADEREZOS NATURALES

Los aliños y salsas constituyen un complemento culinario cuya función principal es la de hacer que los alimentos resulten más sabrosos y apetitosos.

Para un paladar acostumbrado a los sabores fuertes, propios de la mayoría de los productos elaborados, las recetas saludables, realizadas a base de alimentos vegetales, pueden resultar poco apetitosas. Por eso es que los aliños y las salsas desempeñan el importante papel de hacer más atractivos a la vista y al paladar estos alimentos beneficiosos.

En esta obra hemos tratado de conjugar lo sabroso con lo sano y fácil.

Existen suficientes recursos en el reino vegetal como para elaborar vinagretas, aliños, mayonesas, salsas y cremas que otorguen un exquisito sabor a las ensaladas, y que a la vez favorezcan la buena salud, aportándonos vitaminas y minerales, ácidos grasos y otros nutrientes de gran valor biológico. Y muchos de ellos, también contienen elementos fitoquímicos, de acción preventiva y curativa, sobre los trastornos y enfermedades más comunes del género humano.

En las recetas encontrarán aliño para el aderezo en frío de los alimentos de origen vegetal. Los ingredientes que los componen darán nuevo colorido y sabor, potenciando su valor nutritivo.

BEBIDA DE SOJA

La bebida de soja no contiene caseína (una proteína de la leche que favorece el aumento del colesterol); carece de lactosa, el azúcar propio de la leche, que causa intolerancias digestivas; y no aporta nada de colesterol.

Una de las ventajas más importantes de la leche de soja para la salud es que contiene isoflavonas, un tipo de hormonas vegetales que protegen contra la osteoporosis, la arteriosclerosis y contra ciertos tipos de cáncer. Resulta especialmente beneficiosa para el intestino, como sustituto de la leche de vaca, cuando ésta provoca intolerancia.

SAL MARINA

Es importante destacar la diferencia que hay entre la sal marina y la refinada o sal común.

La primera contiene una cantidad proporcionada de sodio junto con oligoelementos y minerales, todo en una perfecta sinergia, preparada para ser asimilada por nuestro organismo, beneficiándonos de todo su valor nutricional. No olvidemos que el líquido que más se parece, en su composición a la sangre, es el agua de mar. Por el contrario, la sal común es un enemigo potencial para nuestro organismo, por su alto contenido en sodio y al tratamiento químico al que se le somete.

Son innumerables las propiedades de la sal marina, pero creo, que con saber que es un alimento imprescindible para la vida, nos damos cuenta de su importancia.

LIMÓN

Es una fruta que por sus propiedades nutritivas y su característico sabor, nos puede ser de gran ayuda en la preparación de aliños. Es tónico, antiséptico, astringente y antioxidante. El limón actúa como tónico en el hígado. Mezclado con aceite de oliva ayuda a disolver piedras en la vesícula biliar. Es eficaz para el tratamiento de ácido úrico.

A nivel digestivo, ayuda a digerir las grasas y aceites de las comidas; regula los niveles de colesterol y de grasa en sangre. Importante destacar su poder alcalinizante.

SALSA DE SOJA

Elaborada tradicionalmente por la fermentación de granos de soja, es importante saber que la que se compra en el supermercado carece de cualquier valor nutricional; además, de ser perjudicial para la salud por el tratamiento químico con el que la realizan. Cuando vayamos a usar salsa de soja en nuestra cocina, compruebe que esté elaborada de forma tradicional.

Esta salsa además de ser fabulosa para realizar exquisitos platos, tiene un gran valor nutricional; puede sustituir a la sal y se recomienda a las personas que padecen de colesterol.

En Japón, también la utilizan como remedio medicinal: añadiendo 4 ó 5 gotas al té (Bancha), potencia la energía física y mental. Y tiene un efecto remineralizante.

Favorece la eliminación de muchos microorganismos dañinos que pueden estar en los alimentos y además favorece la absorción de los principios nutricionales, que contienen los vegetales.

MIEL

Es importante fijarse en la composición y características de la miel que consumimos para asegurarnos de recibir todos sus beneficios debiendo sólo consumir la que se obtiene por un proceso de filtración mecánica, sin intervención de calor.

La miel actúa eficazmente en problemas relacionados con las vías respiratorias (catarros, dolores de garganta...). Es un buen cicatrizante y antiséptico. Posee vitaminas (B y C) y minerales (hierro, calcio y fósforo). Además, sus enzimas facilitan la buena asimilación de los alimentos.

SIROPE DE AGAVE

Es un edulcorante natural, obtenido a partir de una planta (cactus) llamado agave.

En general hemos de valorar sus beneficios nutricionales y su excelente capacidad de potenciar el sabor y el aroma de los alimentos que acompaña. Pero particularmente destaca su bajo índice glicémico, que queda reflejado en los estudios realizados por los expertos de la Universidad de Sydney, Australia, y publicados en la revista especializada "America Journal Of. Clinical Nutrition", en 2002.

Es recomendable consumirlo de una forma moderada y consciente, como todos los edulcorantes.

VINAGRE DE MANZANA

El vinagre es un líquido miscible con sabor agrio, que proviene de la fermentación de cualquier zumo de fruta, vino, alcohol de arroz, grano, maíz, caña de azúcar, plátano, etc.

Este líquido, al que no prestamos demasiada atención por tratarse de un condimento de la comida, tiene numerosos beneficios para la salud.

En este libro solo encontrarán el uso de vinagre de manzana, por sus extraordinarias virtudes para la salud.

Las propiedades del vinagre de manzana comprobadas científicamente son:

- Su carácter ácido suave.

- Mejora la digestión.

- Tiene una acción ligeramente laxante.

- Contribuye a aumentar el movimiento intestinal, lo que combate el estreñimiento.

- Aumenta la secreción de enzimas relacionadas con la digestión de las grasas, mejorando la digestibilidad de las mismas.

- Favorece la absorción de grasa a nivel intestinal, con lo cual la grasa consumida será absorbida con mayor facilidad.

Algunos estudios realizados recientemente afirman que el consumo de vinagre durante la comida ayuda a regular el nivel de glucosa en la sangre, lo que podría beneficiar a los diabéticos.

Es un gran alcalinizante, lo que nos ayuda a mantener nuestro equilibrio ácido-alcalino.

AROMATIZAR VINAGRES

- *Elegir un buen vinagre de sidra.*

- *Verter el vinagre hirviendo sobre el jengibre o el pimiento, colocando en el fondo del tarro escaldado y seco, añadiendo algunas hojas de laurel, un tallo de estragón fresco y algunos granos de pimienta.*

- *Se cierra el tarro. Cuando el líquido esté frío, dejarlo reposar algunas semanas removiendo de vez en cuando y después colarlo en una botella.*

Se pueden experimentar con diferentes especias y plantas aromáticas.

ESPECIAS Y
PLANTAS AROMÁTICAS

El arte de sazonar los alimentos es tan antiguo como el mundo.

Por muy sencillo que parezca, una pizca es suficiente para enriquecer cualquier plato, y eso lo podemos encontrar en las especias, polvos, granos y semillas aromatizantes que mejoran el sabor de los alimentos y nos ayudan a disfrutar de sus propiedades.

He incorporado en las recetas de este libro una particular mezcla de hierbas aromáticas y especias. No sólo por el aporte gustativo que ofrecen, sino también por sus cualidades terapéuticas, un aliciente más, ya que cada una aporta un beneficio diferente a nuestro organismo según sus propiedades.

En la antigüedad las especias eran consideradas sagradas porque se creía que tenían propiedades mágicas, afrodisíacas y curativas. En la actualidad son muchos los estudios que demuestran que solas y mezcladas con otros condimentos, aceites y hierbas, ayudan a disminuir molestias físicas.

El arte de condimentar actúa primero estimulando el sentido del gusto y del olfato, seguido por sensaciones cerebrales que reparten sus beneficios al resto de nuestro cuerpo, tanto físico como psíquico.

En las recetas he usado las especias y las plantas aromáticas más populares acompañando con un pequeño comentario sobre su valor medicinal.

No hay que olvidar que son muy potentes, por lo tanto, recomiendo usarlas con frecuencia pero en pequeñas cantidades.

AJO

Las cualidades del ajo son reconocidas desde el origen de los tiempos. Es un excelente remedio contra los trastornos circulatorios digestivos, la tensión arterial y el colesterol.

ALBAHACA

Esta planta especialmente aromática tiene un efecto relajante, fortalece el sistema nervioso y actúa eficazmente en el aparato digestivo favoreciendo la digestión.

APIO

Posee unas virtudes digestivas y diuréticas. Es bueno contra los trastornos hepáticos, la fiebre y las flatulencias.

AZAFRÁN

Es antiespasmódico, evita los gases y se utiliza para preparar sedantes, ayuda en el sistema nervioso. En la antigüedad se decía que su consumo generaba alegría y buen humor.

CANELA

Favorece la formación de encimas digestivas; es antiviral, favorable en afecciones respiratorias como bronquitis y gripe. Ayuda a bajar los niveles de azúcar y grasa en la sangre.

CARDAMOMO

Se ha utilizado como remedio digestivo ya que ayuda a cortar las náuseas, el vómito y el dolor de cabeza. Es un protector gástrico y ayuda en el normal funcionamiento de la vesícula. Recomendado cuando hay falta de memoria, concentración y agotamiento mental.

CAYENA

Planta sagrada para los aztecas. Se le atribuyen propiedades digestivas y cardiovasculares.

CEBOLLINO

Ante todo es aperitivo y digestivo, recomendado cuando hay problemas de piel.

CILANTRO

Favorece la digestión, carminativo y antibacteriano. Ayuda a curar las ulceraciones de la piel, a regular la producción de insulina, a bajar el colesterol y actúa como antioxidante. Masticadas frescas las hojas refrescan el aliento.

COMINO

Sobre todo tiene propiedades de tipo digestivo. Ayuda a disolver las grasas y bajar los niveles de azúcar en la sangre. Antiinflamatorio y antibactericida. Influye considerablemente en el metabolismo de las células (anticancerígeno).

CLAVO

La planta se encuentra compuesta por un veinte por ciento de aceites volátiles, de ahí su capacidad de ser carminativa y estimulante. Su aceite esencial se usa para dolores de muelas. Es un potente antiséptico y muy efectivo contra las náuseas, vómitos, flatulencias e indigestiones.

CÚRCUMA

Esta especia puede reducir los dolores de articulaciones relacionados con la artritis y afecciones semejantes.

La medicina ayurveda la ha utilizado para tratar la artritis y para afecciones urinarias, debido a que mejora la acción del hígado y es remedio tradicional para la ictericia (piel amarilla). Sobre todo destacamos su efecto en el sistema circulatorio, arterias y afecciones del corazón. Antiinflamatoria y antioxidante.

ENELDO

Esta planta se utiliza para los trastornos digestivos. En forma de tisana, calma el hipo y ayuda a dormir. Estimula las secreciones digestivas y se usa contra flatulencias y dispepsias.

HIERBA HUERTO

También denominada hierbabuena, es una planta muy aromática que favorece la digestión, es antiséptica y calmante.

HINOJO

Es tónico y un buen estimulante de las funciones estomacales e intestinales aliviando las molestias de origen digestivo causadas por flatulencias. Es bueno para el reumatismo y el asma ayudando a combatir la tos. De propiedades galactógenas (estimula la secreción láctea) y diuréticas.

JENGIBRE

Facilita la digestión, ayuda a la circulación de la sangre, reduce el colesterol, alivia náuseas y mareos, combate la tos, la gripe, mejora la vista, etc. Es antiséptico y antibacteriano.

MENTA

Sus propiedades medicinales se deben básicamente a la esencia que contiene: el mentol, un estimulante muy bueno del estómago, antiséptico y analgésico.

NUEZ MOSCADA

Es muy recomendada en problemas de bronquios y en los trastornos digestivos. De ella se extrae un aceite esencial que actúa eficazmente contra el reumatismo.

ORÉGANO

Sirve como tónico, digestivo, expectorante y antiespasmódico. Recomendado para las personas que sufren de reumatismo y asma; alivia las obstrucciones de las vías respiratorias y fortalece las funciones de los órganos internos.

PEREJIL

Es relajante, diurético, antiséptico, tónico, depurativo y digestivo. Rico en vitamina C y minerales. Está indicado en indigestiones, cólicos, artritis, gota y anemia. Galactógeno.

PIMIENTA EN GRANO

Presenta propiedades aperitivas, digestivas y diuréticas. Es importante destacar su beneficio en los intestinos vagos. Influye en el buen funcionamiento de la vesícula y el hígado.

ROMERO

Tonificante. Refuerza el sistema nervioso, mejora la circulación; mejora el rendimiento del hígado y la vesícula. Antioxidante.

SALVIA

Gran digestivo, antioxidante, antibacteriano, ayuda a disolver las grasas que comemos; actúa sobre las glándulas sudoríferas, equilibra el metabolismo y se recomienda en la menopausia.

MOSTAZA

Por su aroma y sabor, la mostaza tiene la propiedad de estimular las papilas gustativas. Las semillas se utilizan para aliviar dolores neurálgicos o reumáticos e incluso contra la pulmonía.

TOMILLO

Tiene propiedades antisépticas, ayuda a combatir todo tipo de infecciones: es un verdadero antibiótico natural, también frente a gripes y catarros; es muy estimulante.

FLORES COMESTIBLES
Florifagia

Las flores comestibles son un adorno curioso y pintoresco. Aportan textura, color, sabor y aroma. Y aunque no las considero tan importantes en sus propiedades nutricionales sí en su aporte visual y energético, factores que pueden ser muy interesantes a la hora de diseñar una ensalada, abriendo un mundo de posibilidades.

Un toque de pétalos y flores es muy llamativo cuando se emplea sobre un fondo de verduras de ensaladas.

Según afirma un informe de Zhang Dongsheng de la Sociedad de Ciencias y Tecnologías Alimentarias de China, las flores contienen grandes cantidades de nutrientes, algunas son ricas en proteínas, grasas, almidones, aminoácidos, vitaminas A, B, C, E y minerales.

Pero el acto de comer flores (florifagia) no es en absoluto algo que se pueda adjudicar la cocina vanguardista, porque hace miles de años que se comen flores, desde China a Sudamérica. Primero, por sus propiedades medicinales, luego, porque en Oriente se las venera como ornamento y alimento. Cada flor, en Asia, tiene un significado espiritual que en el caso de la cocina, luego se traslada al plato. A la flor de loto se le rinde culto y es una de las más apreciadas. También la cocina hindú está llena de referencias florales en sus platos. En Sudamérica, desde el chocolate que Moctezuma ofreció a Hernán Cortés hasta la flor del maguey, de la calabaza o del nopal, están institucionalizadas en su gastronomía.

El ejemplo más llamativo es México. Su culinaria no se entendería sin la relación con el mundo floral comestible. Su magia, y quizá, sus poderes afrodisíacos han quedado plasmados en provocativas y sensuales recetas, como esas mágicas codornices con pétalos de rosa que desataron auténticas pasiones. Mucho tiempo atrás la rosa ya se utilizaba entre los latinos como ingrediente de preferencia. Siguiendo la cuenca mediterránea, también los países árabes sucumbieron al encanto de cocinar con flores.

ELIGIENDO LAS FLORES ADECUADAS

A la hora de escoger flores para la cocina hay que seguir unas pautas tan rigurosas casi como con las setas, ya que las hay comestibles y también tóxicas. Ser precavido y tener claro que no todas las flores se pueden comer, son dos premisas a tener en cuenta antes de consumir cualquier flor. Las flores de la floristería, por ejemplo, no son las más indicadas, ya que para mantenerlas frescas suelen añadir al agua conservantes que resultan tóxicos para la salud, mucho mejor consumir las que estamos seguros de su procedencia y de cultivos limpios.

FLOR DE LA CALABAZA

Las flores de calabaza, de sabor delicado y dulzón se dan durante un largo período en verano.

LA ROSA

Se preparan en ensaladas de frutas y se utilizan como adorno de éstas y en múltiples platos. Tiene un sabor bastante neutro. Todas las especies de rosas son comestibles.

LA ROSA CANINA (escaramujo)

Sus frutos contienen ingentes cantidades de vitamina C. Solamente tenemos que tener la precaución de quitar las semillas y los pelos que irritan la boca.

LA CALÉNDULA

Sabor algo amargo. Florece profusamente en invierno y primavera. También se conoce desde hace siglos su uso como planta medicinal. Las flores son amarillas, naranjas, marrones o bicolores; de ellas se usan las lígulas (pétalos), crudas, en ensaladas.

LA VIOLETA

De sabor muy suave. Se emplea como infusión digestiva, pero en la cocina se aprovecha como elemento decorativo para ensaladas. Se puede comer fresca, seca y confitada.

LA FLOR DEL JAZMÍN

Destacamos su intenso aroma, pero de sabor bastante amargo.

LA CAPUCHINA

Por su sabor algo picante al principio recibían el nombre de berros de las Indias. Se emplea en ensaladas y combina muy bien con perejil, estragón y cebolletas.

LA FLOR DE LA LAVANDA

Muy versátil. Se utiliza tanto para perfumar como para decorar; con un sabor algo picante.

LA FLOR DE LA MANZANA

De color rosa pálido y sabor suave.

LA BEGONIA

Las podemos encontrar en una gran variedad de colores, tienen un sabor ácido parecido al limón.

LA BORRAJA

De color lila azulado y con sabor algo neutro, similar al del pepino.

EL CLAVEL

Tiene una sabor similar a la cebolla. Sus pétalos son de formas vistosas y diferentes colores.

LA MARGARITA

De color blanco pastel y con un sabor agridulce. Mejor usar las de menor tamaño.

EL GERANIO

Lo podemos encontrar de muy variados colores; su sabor varía en intensidad dependiendo de la variedad.

LA LILA

Muy decorativa por su atractivo color. Su sabor es ácido.

EL PENSAMIENTO

De color morado, blanco, amarillo y con un sabor que va del dulce al agridulce.

EL TULIPÁN

Los bulbos son perfectamente comestibles, y sus flores también. El sabor de sus pétalos es muy suave.

HIBISCUS

Existe una gran variedad, sus pétalos poseen un sabor dulce y suave.

LAS FLORES DE HIERBAS AROMÁTICAS

Son florecitas normalmente muy pequeñas de un sabor tan suave que no altera la receta donde las estamos utilizando.

Las más populares son:

- El romero
- El cebollino
- La albahaca
- El tomillo
- El azafrán
- La flor del clavo
- La manzanilla
- El hinojo

LAS FLORES-VERDURAS

Estas flores tienen una consistencia densa y dura, con un sabor penetrante e intenso, pero muy ricas en nutrientes.

A destacar:

- La alcachofa
- El brócoli o brécol
- La coliflor

NORMAS CULINARIAS
CUANDO SE COCINA CON FLORES

- Procure que las flores realcen el sabor del alimento principal y que no lo enmascaren.

- Consulte con un especialista en el tema en caso de dudar si una flor es comestible.

- Coja las flores de día y con tiempo seco. Recoja tan sólo las que se vaya a utilizar en ese momento.

- Lave las flores con sumo cuidado, en agua fresca y sin arrugar los pétalos.

- Elimine los estambres, los pistilos y la base blanca de los pétalos para evitar que den un gusto ligeramente amargo.

- Una vez lavadas, déjelas colgando para que se escurran, séquelas con delicadeza con ayuda de una servilleta, cogiéndolas por el tallo.

- Algunas flores se pueden secar para usar fuera de temporada, como la lavanda, el brezo o las rosas.

- La mayor parte de las flores se pueden conservar en el frigorífico y aguantan frescas y en perfecto estado durante una semana.

ALGAS
Las verduras del mar

Desde la antigüedad, los pueblos costeros han incorporado los vegetales marinos en su dieta. En su uso a lo largo de la historia, las algas han sido siempre apreciadas por sus propiedades nutricionales. Recientemente se están haciendo muchos estudios sobre el efecto que tienen las algas en nuestra salud y se ha comprobado que la gente vive más tiempo y de forma más saludable en las áreas donde se consumen algas. En al actualidad, se están efectuando varios tipos de investigaciones para demostrar la efectividad de las algas marinas en la salud. La industria farmacéutica también está indagando sobre las potenciales sustancias antivirales, antifúngicas y antibacterianas que contienen.

Estos vegetales, llamados por algunos "las verduras del mar", son abundantes, saludables, escasamente aprovechados y algunos se prestan bien al cultivo controlado. Son un alimento de alto valor nutritivo, que nos proporcionan gran cantidad de vitaminas, minerales y oligoelementos, a menudo en dosis que suelen ser superiores a otros alimentos más comunes. Poseen la capacidad de equilibrar el organismo, estimular las glándulas endocrinas, mejorar la circulación sanguínea, aumentar la asimilación de minerales y favorecer la eliminación de toxinas.

Cuando comemos verduras del mar, los minerales vuelven a nuestro cuerpo y nos ayudan a mantener la sangre alcalina, hecho imprescindible para la salud, haciéndonos resistente a la fatiga y al estrés, ayudándonos a reforzar nuestro sistema nervioso y glandular.

Las algas marinas no agotan el mar, ni precisan siembras, abono ni pesticidas. La época de recolección es primavera y verano, cuando los días tienen más horas de luz; las variedades que crecen en la zona intermareal se recogen en seco aprovechando las horas de baja marea. Generalmente el alga recogida se lava con agua de mar para eliminar contaminantes y parásitos, se trocea, se vuelve a lavar y se separan los tallos. A continuación, se deseca al aire con ayuda del sol o con aire forzado, según las condiciones atmosféricas, para que esté lista para ser empaquetada y almacenada de distinta forma según el tipo de alga. Se conserva muchos meses, incluso años, no necesita frigorífico y sus propiedades se mantienen inalteradas.

Las algas son sin duda alguna un alimento-medicina; no es el objetivo de este libro describir detalladamente sobre todos los beneficios que nos aportan estos vegetales marinos, pero sí de despertar la curiosidad del lector, atreverse a investigar más sobre ellas, y disfrutar de su sabor, añadiéndolas en la alimentación diaria.

En el mercado, encontramos una gran variedad de algas, pero aquí, solo vamos a usar las que son más apetecibles a la hora de comerlas naturales.

HIZIKI

Se presenta en tiras cilíndricas de color casi negro. Es la que posee mayor cantidad de minerales y oligoelementos. 100 gramos de hiziki contienen más de 1.400 mg de calcio, alta cantidad de vitamina A y de caroteno. Reduce los niveles de colesterol, previene la caries y es recomendada durante el embarazo. Destaca su acción sobre el pelo, las uñas y los huesos, y por su alto contenido en hierro se recomienda en caso de anemia; es un gran antioxidante y retrasa el envejecimiento. También se utiliza para problemas circulatorios, mejorando el estado general de las venas, arterias y capilares.

Para gozar de sus beneficios sobre la circulación y para remineralizarse, se hará lo siguiente: poner en remojo 1 cucharada de hiziki en media taza de agua durante 10-15 minutos; escurrirla y consumirla así como está, durante el día, tres veces por semana, a lo largo de 2 meses.

KOMBU

Es un alga de consistencia dura, y la más rica en ácido glutámico y yodo. Contiene 25 tipos de diferentes vitaminas, incluyendo el ácido fólico; rica en clorofila y minerales (22%), en particular calcio, potasio, magnesio, hierro, yodo y azufre.

Nos ayuda a eliminar de nuestro cuerpo partículas radiactivas y metales pesados. El alga kombu, tiene propiedades de regulación del metabolismo, sobre todo en caso de tiroides. Es anticancerígena, actúa sobre el sistema nervioso y enfermedades degenerativas; es muy efectiva en la artritis y en los problemas de riñón en general.

ENSALADA DE MAR

No es una sola clase de alga, sino la combinación de algunas de ellas en las que se ha combinado la textura, el sabor y las propiedades, consiguiendo un resultado excelente y refrescante para su consumo. La Ensalada de Mar está compuesta por la mezcla de Wakame, Nori y Lechuga de Mar.

AGAR-AGAR

No se trata propiamente de un alga, sino de un subproducto obtenido de diferentes algas. Por sus propiedades, está considerada la reina de los agentes gelificantes.

100 g de Agar-Agar aportan 800 mg de sodio, 400 mg de calcio y en menos cantidades hierro, fósforo y yodo. Se caracteriza por no ser atacable por los ácidos gástricos ni absorbible, factores que la hacen ideal como complemento para corregir

el estreñimiento y proteger la mucosa gástrica. Muy empleada en dietas adelgazantes porque es ligeramente saciante y no aporta calorías.

Su importancia, más que en nutrientes, reside en la fibra dietética que contiene en abundancia, ayudando a eliminar los ácidos biliares, de ahí su influencia sobre el nivel de colesterol en la sangre.

WAKAME

Tiene hojas lobadas que pueden llegar a medir hasta 1,5 metros, de color marrón.

El alga wakame tiene una elevada cantidad de fucoxantina, un principio activo que ayuda a quemar las grasas. Rica en minerales, sobre todo calcio, magnesio y en vitaminas C y del grupo B.

Se recomienda en trastornos del sistema nervioso, estrés, depresiones y cansancio. Indicada para combatir la alopecia, colabora mejorando la actividad de riñones e hígado y estimula la producción de hormonas. Anticancerígena, antienvejecimiento y antiviral.

NORI

Se cultiva en Japón y se presenta en forma de láminas prensadas de color oscuro.

Es la planta marina más rica en proteínas (50%). Ayuda a controlar el colesterol en la sangre y previene la aparición de piedras en la vesícula biliar, contiene además, vitamina C, B12, yodo, hierro, cantidades relevantes de vitamina A, muchos carotenoides y fibra dietética.

Anticancerígena, mejora la visión nocturna. Tradicionalmente esta alga se utilizaba como medicamento para las enfermedades del corazón y del intestino. Es un gran antioxidante natural.

La almendra en plena floración engendra un alimento con muchos beneficios nutritivos

FRUTOS SECOS Y SEMILLAS

Las semillas son la mejor fuente natural de vitamina E, además de tener gran cantidad de proteínas y grasa de buena calidad y fácil asimilación.

Las semillas son el único alimento que está vivo y puede generar vida, son tonificantes, refuerzan el sistema nervioso, incrementan la vitalidad y retrasan el envejecimiento.

Contrariamente a lo que se piensa, las semillas no engordan y son recomendadas para todas las edades: todos necesitamos un buen aporte de grasas de la máxima calidad, y esto lo conseguimos con el consumo diario de una pequeña cantidad de semillas.

Recomendamos comprarlas biológicas y guardarlas en un lugar oscuro y fresco, para no acelerar su oxidación.

En el mercado podemos encontrar una gran variedad, pero muy importante a la hora de consumirlas, es que estén siempre en su estado original, quiero decir crudas, sin ningún procesado de calor. Al cocinarlas pierden muchos de sus beneficios, sobre todo, lo relacionado con sus grasas, que pasarían a ser saturadas y no tan buenas para nuestra salud.

Son numerosas las investigaciones epidemiológicas en las que se ha demostrado que el consumo de semillas oleaginosas ejercen una acción preventiva del cáncer.

ALMENDRAS

La almendra forma parte de la alimentación humana desde tiempos inmemoriales. Sus propiedades culinarias y nutritivas hacen de las almendras un alimento especial, siendo ricas en todos los principios nutritivos.

Destacamos su proteína, que es de fácil asimilación y completa. La mitad del peso de la almendra es grasa, predominando los ácidos grasos monoinsaturados y poliinsaturados, donde destaca el linoleico, que desempeña importantes funciones en el sistema nervioso. Rica en vitamina B1, B6 y sobre todo E, además, es uno de los vegetales más ricos en calcio y en fósforo, superando a la leche.

El consumo de almendras es recomendado siempre, pero particularmente a aquellas personas que sufren de estrés, depresión, colesterol, descalcificación, diabetes, afecciones cardíacas y arteriosclerosis. En las mujeres que lactan, la almendra tiene un probado efecto galactógeno (aumenta la secreción de leche).

NUECES

La nuez es, al igual que otros frutos secos (oleaginosos), uno de los alimentos más concentrados en sustancias nutritivas.

Es rica en ácidos grasos insaturados con abundantes poliinsaturados y merece destacar la calidad de sus proteínas y minerales. Sobre todo es rica en fósforo y potasio, mientras que es baja en sodio, lo cual favorece el buen estado del sistema cardiovascular. Es una de las mejores fuentes de oligoelementos.

Destacamos algunos de los beneficios más importantes sobre nuestra salud que nos puede ofrecer el consumo de nueces: en afecciones cardíacas reduce el riesgo de infartos y nivela el colesterol corrige anormalidades en afecciones del sistema nervioso, trastornos sexuales y esterilidad.

No deberían faltar en la mesa de los estudiantes, intelectuales y de aquellos que sufren de irritabilidad nerviosa, depresión, estrés y agotamiento nervioso.

SEMILLAS DE CALABAZA

Este alimento es utilizado desde la antigüedad tanto por sus propiedades medicinales como por su valor nutritivo.

Comer pepitas de calabaza nos aporta una buena cantidad de ácidos grasos esenciales que nos proporcionan importantes ventajas en nuestra salud, tales como disminución del colesterol, mejora de la tensión arterial, de la artritis y del sistema circulatorio.

Estas semillas contienen cantidades elevadas de vitaminas A y E, y minerales (especialmente Zinc). Su poder antioxidante las convierte en un buen recurso para mantener las células en buen estado ayudando a mantener el organismo más joven.

Importante destacar su efecto en la próstata, previniendo su agrandamiento (hiperplacia).

SEMILLAS DE SÉSAMO

Son muy ricas en ácidos grasos instaurados y proteínas de alto valor biológico, además de lecitinas, vitaminas, oligoelementos y minerales, predominando el calcio.

Son muy útiles para prevenir enfermedades del corazón y de las arterias; tonificante del sistema nervioso.

Mejora la salud del aparato reproductor, especialmente el masculino; proporciona energía y nutrientes de forma concentrada y fácilmente asimilable.

SEMILLAS DE GIRASOL

Las humildes pipas de girasol son especialmente ricas en ácido linoleico, minerales como magnesio, hierro, fósforo y calcio, y vitaminas (destacamos la vitamina E por ser uno de los alimentos que más la contiene). Es un gran antioxidante, ejerce una acción preventiva contra la trombosis y el infarto; su consumo se recomienda en caso de eccemas, piel agrietada o reseca (dermatitis en general) y fortalece las uñas y el cabello.

Esta semilla es beneficiosa para aquellos que padecen de estrés, nerviosismo, para embarazadas, deportistas, anémicos y convalecientes.

PIÑONES

Estas pequeñas semillas que se encuentran en el interior de las piñas contienen importantes fuentes de vitaminas, sobre todo B1 y E; minerales, destacando el potasio, fósforo, calcio, hierro y magnesio; es rica en ácido fólico y grasas monoinsaturadas y poliinsaturadas.

Su consumo beneficia en los casos de estrés, colesterol, lactancia y embarazo, ayudando a la buena formación del feto. Mejora el tránsito intestinal, el funcionamiento del sistema nervioso y del cardiovascular.

Su textura y sabor hacen de los piñones un ingrediente importante como acompañamiento en muchos platos.

SEMILLAS DE CHÍA

Originariamente cultivadas por los aztecas en México, representan la fuente con mayor contenido en omega 3 (uno de los aceites grasos esenciales para el organismo y que sólo se puede obtener a través de la alimentación).

Las semillas de chía, ricas en ácidos grasos con una alta concentración de los citados omega 3, ayudan a disminuir los riesgos de enfermedades cardiovasculares y actúan como un potente antioxidante.

Contienen todos los aminoácidos y un 23% de proteínas; no contienen gluten y cabe destacar su alto contenido en minerales como calcio, magnesio, hierro y zinc.

Su consumo resulta útil en caso de celiaquía, estrés, obesidad, arteriosclerosis, infecciones cardiovasculares y soriasis.

Destacamos su alto contenido en fibra liposoluble, ayudando a reducir los niveles de colesterol.

BAYAS DE GOJI

Este remedio tibetano, ya en el Ben Cao Gang Mu –considerado el tratado herbolario chino más célebre y el trabajo sobre materia médica más extenso recopilado por una sola persona en toda la historia– está registrado lo siguiente con respecto al Goji:

> *"Su consumo de manera cotidiana puede regular el flujo de energía vital y fortalecer la mente, los cuales son factores de longevidad."*

Y en ese tratado –que data de finales del siglo XVI a. C.– su autor, Li Shi-Zen, enumera los usos tradicionales del Goji en la Medicina China y Tibetana: artritis, diabetes, disfunción sexual (en ambos sexos), dolores diversos de cabeza y musculares; enfermedades crónicas del hígado, fiebre y sudoración; alteraciones del sistema nervioso, insomnio, irritabilidad, hipertensión arterial y enfermedades degenerativas.

Potente antioxidante.

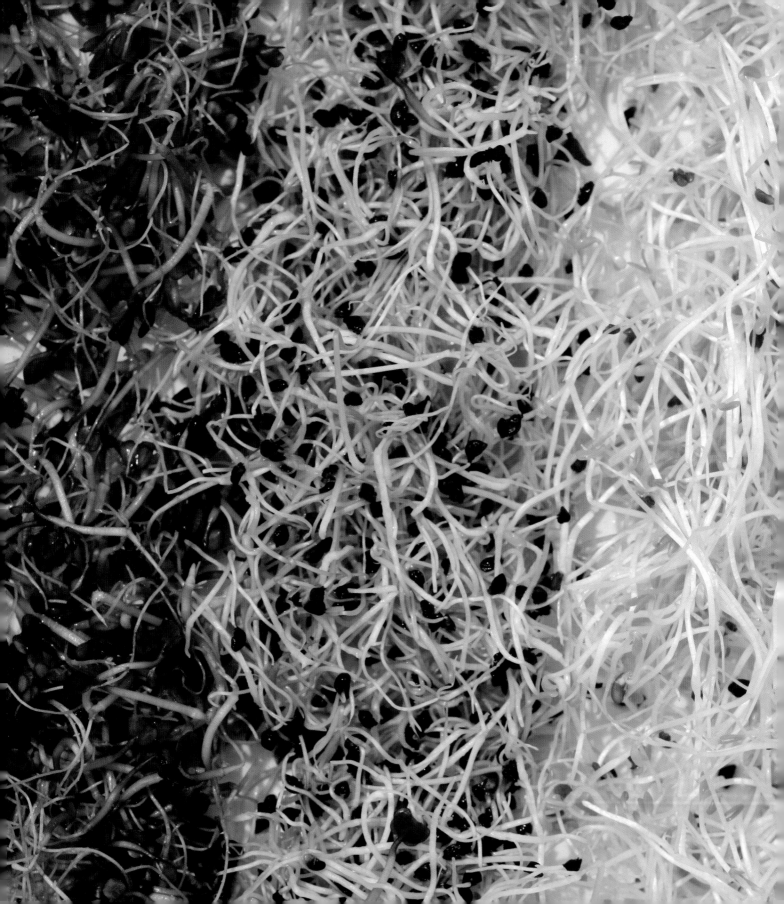

GERMINADOS

Se denomina germinado a cualquier semilla cuyo metabolismo es estimulado por el contacto con el agua, el aire y el calor, con lo cual va creciendo.

Los germinados o brotes son *alimentos de salud* esenciales. Con su excepcional vitalidad, su riqueza en vitaminas, minerales, oligoelementos, ácidos aminados, enzimas y demás sustancias biológicas activas, corrigen las carencias provocadas por la alimentación moderna, deteriorada por los procedimientos industriales.

Al añadir los germinados y brotes en nuestra alimentación, aunque sea en poca cantidad, puede conciliarse más fácilmente el modo actual de vida con el mantenimiento de una buena salud.

Cultivar y consumir germinados es muy fácil y nos aporta muchas satisfacciones:

- Los germinados se almacenan y trasportan fácilmente sin estropearse.

- Se pueden hacer en casa con un mínimo de esfuerzo.

- Están llenos de energía, son ricos en vitaminas y demás sustancias biológicas esenciales para nuestra salud.

- Se digieren y asimilan fácilmente por el organismo.

- Proporcionan una alimentación muy barata.

- Cultivar germinados nos permite ser al mismo tiempo productor y consumidor, para de este modo ser capaces de controlar la frescura y la calidad.

- Los germinados nos dan la oportunidad de volver a contactar con la naturaleza al convertirnos aunque sea brevemente en *Jardineros del hogar*.

Puede hacerse germinar semillas durante todo el año, para disponer así de una fuente inagotable de vitaminas, minerales, oligoelementos, enzimas, clorofila, fibras alimenticias y proteínas.

Basta un poco de agua y calor para que las semillas experimenten un verdadero proceso de alquimia que modificará totalmente sus aportes nutritivos:

- Aumenta la tasa de proteínas, además de su digestibilidad;

- Se predigieren los glúcidos y los lípidos;

- Se transforman los minerales para utilizarlos mejor;

- Se multiplica el aporte vitamínico;

- Desaparecen los factores antinutritivos presentes en las legumbres;

- Se sintetiza la clorofila y se reactivan las enzimas.

Se pueden hacer germinar la mayoría de las semillas, salvo las del tomate y berenjena, así como a todas las procedentes de plantas tóxicas.

Los brotes pueden consumirse en todas las comidas, en pequeñas cantidades, añadiéndolos a las ensaladas.

Se aconsejan siempre, pero especialmente en caso de desmineralización, estreñimiento, anemia, astenia, hipertensión, diabetes, problemas cardiovasculares y arteriosclerosis.

PREPARACIÓN DE GERMINADOS

- *Colocamos las semillas en un frasco de vidrio (nunca metal). Le añadimos agua en una proporción de tres veces superior al volumen de las semillas y las cubrimos con una tela fina.*

- *Se dejan reposar las semillas durante 12 horas en un lugar oscuro y cálido. Pasadas las 12 horas, desechamos el agua y se enjuagan.*

- *Dos veces al día, lavamos las semillas con agua y las escurrimos; la mejor forma es dejar el frasco un poco inclinado para que elimine el exceso de agua. Tardarán de 3 a 5 días en germinar (alcanzar de 1 a 2 cm).*

- *Cuando los germinados hayan obtenido el tamaño deseado, los lavamos y escurrimos nuevamente y los guardamos en el frigorífico, listos para comer.*

- *Podemos encontrar en las tiendas especializadas aparatos específicos para germinar, interesantes pero no imprescindibles. También podemos encontrar los germinados ya hechos, pero es importante comprobar su calidad y origen.*

Siempre se aconseja usar semillas apropiadas de origen ecológico.

FERMENTADOS
Macerados y prensados

Los alimentos fermentados han formado parte de la alimentación de pueblos muy distantes geográficamente. Indudablemente existen muchas diferencias culturales en la forma de alimentarnos, pero hay un denominador común: el empleo de ciertos fermentos que potencian el valor nutritivo de los alimentos.

Uno de los grandes beneficios que se atribuyen a los alimentos fermentados es el de restablecer el equilibrio entre los diferentes microorganismos que pueblan nuestro intestino. Entre todos estos microorganismos destacan los del género *lactobacilus acidophilus*, *lactobacilus bifidus*, *lactobacilus plantarum*, *lactobacilus leichmanii* y *lactobacilus fermentum*.

La fermentación equivale a una predigestión de los alimentos, que se transforman en sustancias de más fácil asimilación.

En el proceso las sustancias orgánicas se degradan por la acción de hongos microscópicos o de bacterias. El resultado es una transformación cualitativa de los alimentos.

Son muchas las verduras que podemos utilizar aplicándoles este proceso, ampliando su valor nutricional, su asimilación y digestividad. Nombraremos las más comunes: col, beterrada, zanahorias, champiñones, pepino, nabos, rábanos y pimientos.

La fermentación mejora la digestión, la concentración vitamínica (vitaminas C y B) y la proporción de ácido láctico en los alimentos. Este ácido conserva la acidez natural del intestino, permite la síntesis de la vitamina K, produce algunas sustancias antibióticas, predigiere las fibras para transformarlas en glúcidos asimilables y facilita la eliminación de sustancias venenosas.

Se recomienda el consumo de verduras y hortalizas fermentadas siempre, pero especialmente cuando se están tomando medicamentos, en caso de desmineralización, carencias de vitaminas, dispepsia, anemias, astenia o debilidad intestinal.

Son excelentes para renovar la flora intestinal y sanear el intestino.

MACERADO

Para macerar verduras es conveniente cortarlas muy finas o rallarlas. Hace falta un condimento salado (sal marina, salsa de soja o miso). Si se desea, se pueden disolver los condimentos salados con agua y complementarlos con vinagre de manzana, ajo, hierbas aromáticas, aceites, ralladura de limón o jengibre.

Podemos usar cualquier recipiente de vidrio o cerámica.

Colocamos los ingredientes dentro y los dejamos reposar de 1 a 2 horas o toda la noche, dependiendo de la verdura que utilicemos. Si se prefiere, se puede escurrir el líquido que quede de la maceración y comer las verduras maceradas sin los condimentos.

El sabor que se obtiene de las verduras en maceración es más dulce y crujiente que al natural.

El tofu es un alimento que cuando lo maceramos, conseguimos aumentar su sabor, tanto si lo queremos algo más salado o si, por el contrario, lo necesitamos dulce. En este caso es ideal dejarlo en maceración con sirope de agave.

FERMENTADO CORTO *PICKLES*

En inglés *pickle* significa encurtido, es decir, la conserva hecha a base de vinagre o salmuera (agua cargada de sal).

Un fermentado corto de la manera tradicional, utilizando agua y sal, puede estar listo en 1 ó 2 semanas. Sus propiedades son numerosas: estimula el apetito (ideal para niños), nutre el aparato digestivo, regenera la flora y neutraliza el deseo de azúcar.

Necesitaremos un tarro de vidrio limpio, gasa y una goma elástica y cualquier clase de verdura.

Preparamos en una jarra del 10 al 12% de sal marina con agua de buena calidad. Es opcional anadir aliños para realzar el gusto: ajo, jengibre, semillas de mostaza, cebolla picada, ralladuras de cítricos de cultivo biológicos, especias o hierbas aromáticas.

Para salmueras cortas (de 1 a 2 semanas) hay que cortar las verduras a trozos pequeños. Para salmueras o fermentados más largos (de entre 3 y 4 semanas) se pueden cortar en trozos más grandes.

Colocamos los trozos de las verduras en el tarro de vidrio, añadimos la disolución fría salada, cubriendo completamente las verduras; lo tapamos con la gasa y la goma elástica, lo colocamos en un lugar oscuro y fresco (en verano mejor en el frigorífico), esperamos 2 ó 3 días, le retiramos la gasa y lo tapamos con su tapa correspondiente y se vuelve a guardar durante 1 ó 2 semanas más.

Cuando se empiece a consumir esta conserva hay que guardarla en el frigorífico.

Este alimento se puede dar a los niños pequeños. Es recomendable tomar una cucharada en cada comida, para ayudar a la digestión y asimilación de lo ingerido.

El líquido de salmuera que queda después de haber consumido todas las verduras puede aprovecharse como aliño para ensaladas. Se puede utilizar la mitad para empezar otro recipiente de salmuera, anidando agua fresca y un poco más de sal.

Este proceso de conservación es muy rápido, barato e increíblemente saludable, potenciando el valor nutritivo de los alimentos.

PRENSADO

Para este proceso utilizamos una prensa o dos platos hondos y un peso.

Usaremos cualquier clase de verduras que sea jugosa. Cortamos las verduras muy finas, las mezclamos bien con sal. Luego las colocamos en la prensa o entre los dos platos, con el peso encima, durante un tiempo relativo que va desde una hora a toda la noche. El condimento salado, la presión y el tiempo harán que el vegetal empiece a expeler su contenido de agua, conservando su frescura y textura crujiente. Si esto no ocurre es que falta más condimento salado o más tiempo de presión.

Antes de servir, escurrimos les verduras prensadas, tirando el líquido obtenido en el proceso. Si las verduras están muy saladas, pueden lavarse en agua fría y escurrir.

QUÉ PUEDE SUCEDER PREPARANDO FERMENTADO CORTO *PICKLES*

- *Si empieza a aparecer un poco de moho en superficie, quítelo y compruebe que las verduras están crujientes*

- *Si las verduras están blandas y pegajosas, significa que no se han conservados y debemos tirarlas. Puede deberse a dos causas: poca sal o demasiado calor donde se guardaban.*

- *Si las verduras están bien conservadas pero demasiado saladas, dejarlas en agua fría durante unos minutos.*

ANTES DE EMPEZAR

Las formas de cortar las verduras afectan a su sabor y al aporte de nutrientes. Las verduras de hojas mejor las partimos con las manos, son más sabrosas y saludables que cortadas con el cuchillo.

Los restos de verduras que nos sobran cuando hacemos una ensalada, como tallos, las hojas más duras que desechamos etc., las podemos usar para hacer caldos.

Es importante no olvidarnos de masticar bien. Los vegetales son ricos en fibra y nos pueden producir gases. En el masticado reducimos esta posibilidad. Además, mejoramos nuestra digestión y asimilamos mayor cantidad de nutrientes.

Intentemos comprar los productos de temporada. Aparte de ser más baratos, son más frescos y nos aportan los nutrientes que necesitamos en cada época del año.

MEDIDAS

Los ingredientes de las recetas son aproximadamente para dos personas.

La cuchara (sopera) equivale a 15 ml.

La cucharadita (de postre) equivale a 5 ml.

Una pizca expresa lo que se coge entre dos dedos.

40 ml equivalen a una taza de café pequeña.

Las verduras siempre serán de tamaño medio, a menos que se indique lo contrario.

LAVAR

Lavar siempre la verdura muy bien, sobre todo si no proceden de agricultura ecológica.

PELAR

Pelar las verduras siempre que no sean ecológicas y/o su piel pueda resultar dura.

RALLAR GRUESO

Es una forma rápida de obtener la verdura en juliana, su textura es crujiente.

RALLAR FINO

Conseguimos una textura más suave y digerible, su sabor puede resultar más dulce.

PREPARACIÓN Y CORTE

   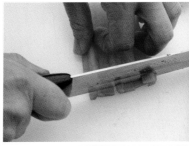

EN JULIANA

Con este utensilio conseguimos cortar la verdura con la longitud que deseamos cogiendo todas las partes del vegetal. Es además muy decorativo.

MÉTODO RODADO

También llamado en rodajas. Conseguimos aprovechar todos los nutrientes del vegetal, desde el centro hasta la superficie.

TRADICIONAL JULIANA

Podemos usar las partes de la verdura que queramos, esto significa que en un corte podemos tener los nutrientes que hay en el centro (que son más concentrados) y los que se encuentran en la superficie (con menor cantidad pero de textura más suave).

A CUADRITOS

También llamado en dados. Se corta la verdura transversalmente en varias partes dependiendo del grosor, luego varias veces en vertical para conseguir sacar tiras más o menos gruesas, por último las cortamos en pequeños cuadritos.

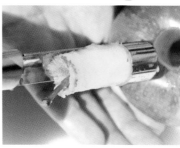

MEDIAS LUNAS

Se recomienda en verduras
pequeñas y de consistencia
más blanda. También
aquí aprovechamos los
nutrientes desde el centro a
la superficie del vegetal.

PELAR EL AGUACATE

Cortar el aguacate por la
mitad, retirar la pipa con
cuchillo, clavándolo y dándole
un pequeño giro, saldrá con
facilidad, luego lo pelas.

HACIENDO BOLITAS

Es un método muy decorativo,
facilitando la elaboración de
ensaladas con vegetales que
presentadas de esta manera
se hacen más apetitosas,
sobre todo para los niños.

DESPEPITAR

Una forma rápida y eficaz de
retirar las pipas sin alterar
la estructura de la fruta.

DESGRANAR

Partimos la granada por la mitad colocando una mitad en la palma de la mano con las granas hacia abajo, y con el mazo le damos unos golpes por encima, en la piel. Las granas se irán desprendiendo fácilmente.

BATIR LOS ALIÑOS

Cuando batimos las vinagretas, conseguimos una textura mucho más cremosa. Verterlas siempre en el momento de servir.

HACER ZUMOS RÁPIDAMENTE

(Jengibre, rábanos, zanahoria ...) Rallar el jengibre por la parte más fina del rallador; colocarlo en un pañito fino y apretar, saldrá un jugo muy rico.

RECETAS

MAYONESA de SOJA

Ingredientes

100 ml de leche de soja

200 ml de aceite (oliva y girasol al 50%)

1 diente de ajo machacado

el zumo de 1/2 limón

sal marina

Ponemos todos los ingredientes en el recipiente de la batidora según el orden anterior.

Colocamos la batidora en el fondo con velocidad baja hasta conseguir que emulsione.

Esta mayonesa admite una gran variedad de combinaciones siempre partiendo de la receta base. Podemos usar sólo aceite de oliva pero su sabor es más amargo. También le podemos añadir tofu, plantas aromáticas, algas, especias y hasta algunas verduras.

Es una salsa muy saludable con la que podemos acompañar muchos platos y además en la nevera nos puede durar más de una semana.

TOFU

Es un derivado de la soja amarilla (el cuajo que se obtiene al cortar la leche de ésta), de delicado sabor y textura cremosa y ligera.

Rico en minerales y vitaminas, sólo contiene un 4,3% de grasas, de las que un 80% no son saturadas. No sólo está libre de colesterol, sino que, gracias a su alto contenido en ácido linoleico , permite eliminar los depósitos de colesterol que puedan existir.

Si se cuaja de la forma tradicional, con nigari, el tofu contiene un 23% más de calcio que la leche de vaca. Es rico además en hierro, fósforo, sodio, potasio y vitaminas del grupo B y E.

Por su efecto refrescante, el tofu es más recomendable para estaciones más cálidas, siendo un buen acompañante en las ensaladas.

PEREJIL con SABOR al LÍBANO

Ingredientes

1 manojo de perejil

1 manojo de hierbabuena

1/2 cebolla roja

1 cucharada de semillas de sésamo

1 tomate de ensalada grande y maduro

1/4 de pimiento dulce rojo

1/2 aguacate

2 hojas de lechuga

1/2 cucharadita de pimentón dulce

una pizca de pimienta cayena molida

6 cucharadas de aceite de oliva virgen

el zumo de un limón

Retiramos los tallos del perejil y de la hierbabuena y los cortamos muy pequeños.

Cortamos en cuadritos pequeños el tomate y el pimiento dulce.

Pelamos y cortamos la cebolla y el aguacate en trocitos también.

Colocamos la lechuga en el fondo de un bol de ensalada y se vierten todos los ingredientes encima.

Mezclamos el pimentón con la sal, la pimienta de cayena y el zumo del limón. Batimos con una batidora de varillas mientras se vierte el aceite.

Finalmente se sirve la ensalada aliñada con la vinagreta.

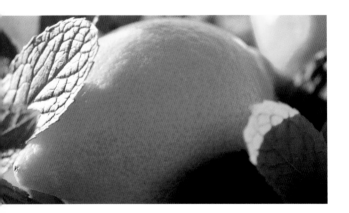

LIMÓN

Es una fruta que por sus propiedades nutritivas y su característico sabor nos puede ser de gran ayuda en la preparación de los aliños.
Tónico, antiséptico, astringente y antioxidante, el limón actúa como tónico en el hígado (mezclado con aceite de oliva ayuda a disolver piedras en la vesícula biliar). Es eficaz para el tratamiento de ácido úrico.
A nivel digestivo, ayuda a digerir las grasas y aceites de las comidas; regula los niveles de colesterol y grasa en sangre. Importante destacar su poder de alcalinizante.

HINOJO con SANDÍA

Ingredientes

1/4 de sandía

4 hojas de lechuga

100 g de rúcula

1/2 bulbo de hinojo

7 aceitunas negras

2 cucharadas de aceite de oliva virgen

1 cucharadita de vinagre de manzana

el zumo de 1 naranja

Troceamos las hojas verdes con las manos en pequeños trozos. Retiramos la corteza y las pepitas de la sandía. La troceamos en cuadritos, mezclamos los ingredientes en una ensaladera y se reserva en la nevera.

Cortamos la raíz del hinojo para que se desprendan las hojas con mayor facilidad. Se eliminan las hebras (casi invisibles) tirando de ellas hacia arriba. Cortamos las hojas del bulbo en bastoncillos.

Pelamos la mitad de la naranja, con un pelador, muy superficialmente, intentado coger solo la parte que tiene color. Reservamos la piel y seguidamente hacemos un zumo con la naranja.

Se prepara una vinagreta mezclando el aceite, el vinagre y el zumo de naranja. Añadimos los bastoncillos de hinojo, las aceitunas y se deja macerar durante 10 minutos.

Aliñamos la ensalada con la vinagreta. Hay que remover bien para que mezclen todos los sabores y, antes de servir, se decora con la piel de la naranja, que previamente hemos cortado en tiritas muy finas.

HINOJO

Este vegetal aporta interesantes nutrientes para el organismo. Tiene pocas calorías pero sí mucha fibra. Rico en potasio, fósforo y magnesio, equilibra nuestros nervios. Sus semillas vienen muy bien cuando hay gases.

ROLLITOS de NORI

Ingredientes

1 lámina de alga nori

1/2 aguacate

1/2 manzana

1 nabo

1 cucharada de semillas de sésamo

el zumo de 1/2 limón

una pizca de sal

Dividimos el alga nori en cuatro partes iguales.

Pelamos el aguacate, lo colocamos en un plato y lo trituramos un poco con un tenedor.

Pelamos y rallamos el nabo; pelamos y cortamos en cuadritos pequeños la manzana, lo unimos todo con el aguacate, el zumo del limon y la sal.

Hacemos pequeños cucuruchos con el alga y los vamos rellenando con la mezcla. Añadir las semillas al final.

Sugerencia:

Se puede sustituir el nabo por calabacín.

EL NABO

Es rico en fibra y agua.
Contiene vitamina C y B, potasio, calcio y fósforo.
Recomendado como diurético, fortalece los huesos, el pelo, las uñas y el sistema inmunitario en general.
Excelente en dietas de adelgazamiento.

LOS COLORES del POMELO

Ingredientes

1 pomelo

5 champiñones

2 tomates medianos

1/2 cebolla roja

1/2 pimiento rojo

200 g de hojas verdes variadas

(lechuga, perejil, albahaca)

el zumo de 1 limón

5 cucharadas de aceite de oliva virgen

salpimentar con pimienta negra

En una ensaladera grande, colocamos las hojas verdes troceadas a mano.

Cortamos los champiñones en pequeños trocitos y los reservamos en un bol con el zumo del limón.

Pelamos el pomelo y la cebolla.

Cortamos el pimiento, el pomelo y la cebolla todo en trocitos y lo añadimos a la ensaladera junto con los champiñones escurridos.

Hacemos una vinagreta con el aceite, una cucharadita de zumo de limón, sal y pimienta, lo vertemos en la ensalada y removemos.

Servimos la ensalada fresca.

EL POMELO

Limpia las arterias y la sangre.
La pectina del pomelo se encuentra en la fibra que forma la pulpa, destaca por sus efectos anticolesterol y protector de las arterías. Su alto contenido en flavonoides ayuda a fluidificar la sangre; actúa de anticancerígeno y antioxidante.
Estimula las funciones del sistema inmunitario, tiene una acción depurativa y desintoxicante.

AROMATIZANDO el PEPINO

Ingredientes

3 cucharadas de semillas de sésamo

1 pepino

1/4 de manojo de cilantro

1/4 de manojo de albahaca

1 diente de ajo

1 vaina de pimienta cayena

1 cucharadita de salsa de soja

1 cucharadita de sirope o miel

4 cucharadas de aceite de semillas
de girasol prensado en frío

1 cucharada de aceite de sésamo prensado en frío

Cortamos el pepino en tiras, longitudinalmente, lo más finas que podamos (con un pelador es más fácil). Lo colocamos en un plato de ensalada llano.

Se retiran los tallos más grandes de la albahaca y del cilantro, y las troceamos menudas.

En un mortero añadimos las semillas de sésamo (apartar algunas para decorar), el ajo, la pimienta y las plantas aromáticas y se machacan hasta que se forme una pasta. Añadimos el zumo del limón, el sirope, la salsa de soja y los aceites. Se bate con la batidora de varillas hasta que la salsa esté bien unida.

Servimos la salsa aparte, decorando el pepino con un poco de semillas de sésamo y unas hojitas de las hierbas que hemos usado.

Sugerencia:

Esta salsa es muy especial. Se puede guardar unos días en la nevera y utilizar como acompañamiento en otros platos como pastas y arroces.

Los diabéticos pueden sustituir la miel por sirope de agave.

EL PEPINO

Limpia y embellece la piel.
Por su gran contenido en azufre ayuda a mantener en buen estado las uñas y el pelo, a la vez que limpia la sangre de sustancias tóxicas y facilita la eliminación de ácido úrico. Es un gran amigo de los diabéticos y nos ayuda a reducir el peso.

DELICIAS de BETERRADAS

Ingredientes

1/2 beterrada cruda y pelada

50 g de geminados de soja

1/2 aguacate

un trocito de cebolla

1/4 de pimiento rojo

2 champiñones

1/2 calabacín pequeño

2 cucharadas de aceite de oliva virgen

sal y pimienta

Rallamos el calabacín por la parte más gruesa del rallador. Luego la beterrada.

Se elimina la parte final del tronquito de los champiñones desechándola. El resto (de los champiñones) lo cortamos en láminas finitas y vertemos unas gotitas de limón para que no se oscurezca.

Cortamos el pimiento en tiritas.

Se va colocando todo de la forma que más nos guste en una ensaladera.

En el vaso de la batidora, añadimos el aguacate, pelado y sin pipa (ver pág. 58), el aceite, el casquito de cebolla, la sal y la pimienta, y lo batimos hasta que esté cremoso.

Podemos servir la salsa aparte, o directamente encima de la ensalada.

LA BETERRADA O REMOLACHA

Destacamos su alto contenido en potasio, calcio y magnesio, esto explica su efecto alcalinizador de la sangre. Muy recomendado en caso de gota (ácido úrico). Rica en fibra, facilita el tránsito intestinal y reduce los niveles de colesterol. Anticancerígena.

TOMATES RELLENOS de GERMINADOS

Ingredientes

2 tomates grandes

30 g de germinados al gusto

5 aceitunas negras sin hueso

2 cucharadas de mayonesa de soja (ver pág. 62)

2 hojas de lechuga

1 cucharadita de orégano

una pizca de sal marina

Con un cuchillo cortamos alrededor toda la parte superior de los tomates. Con la ayuda de una cucharita, y con cuidado, se va vaciando el interior del tomate (la pulpa); la vamos depositando en un colador para que escurra el zumo; añadimos un poco de sal en el interior de los tomates.

Cortamos en trocitos la pulpa del tomate y las aceitunas; la colocamos en un bol, le vamos añadiendo los germinados, el orégano y la mayonesa y unimos bien todo; con la cucharita vamos rellenando los tomates y al final le volvemos a colocar el *sombrerito*.

Cortamos la lechuga en juliana y la colocamos como base de los tomates.

Sugerencia:

Con el jugo del tomate se puede hacer una aliño para las lechugas, solo le tenemos que añadir sal, aceite y vinagre.

LA ACEITUNA

Una perla del Mediterráneo.
2 ó 3 aceitunas antes de empezar a comer constituyen un aperitivo natural que aumenta la producción de jugos gástricos, facilitando la digestión.
Debido a su contenido en aceite y en fibra vegetal, las aceitunas tienen un suave pero eficaz efecto laxante, son uno de los frutos más ricos en fibra.

BROCHETAS de COLORES

Ingredientes

4 tomates Cherry

1 pepino

Salsa tzatzita

1 yogur de soja natural

5 hojas de menta o de hierbabuena

1/2 diente de ajo

sal y pimienta

el zumo de 1/2 limón

Lavamos el pepino. A continuación lo pelamos y extraemos 4 bolitas (ver pág. 58); la pulpa restante, se pica en trocitos pequeños y la colocamos en un colador presionando bien con una cuchara para que suelte la mayor cantidad de líquido posible y la reservamos.

Insertar en cada brocheta una bola de pepino y un tomatito.

Para la salsa, machacamos el ajo con la sal y las hojas de menta o de hierbabuena. Se mezcla todo en un bol con el yogur de soja y el pepino ya escurrido y unas gotas de zumo de limón. Pimentamos al gusto, batimos todo con una batidora de mano de varillas hasta que la salsa esté cremosa y la servimos aparte.

Sugerencia:

A las brochetas se les puede añadir bolitas de manzana, rábanos, etc. Se pueden hacer muchas variaciones.

LA SOJA

La gran amiga de las mujeres.
Rica en vitamina A, y todo el grupo de la vitamina B; protectora cardiovascular, ayuda a disolver los cálculos del riñón; anticancerígena, es rica en estrógenos por lo que se convierte en un apoyo en los trastornos hormonales. Se presenta en derivados de la soja como salsas, licuados, yogur, etc.

WAKAME en PRIMAVERA

Ingredientes

2 tiras secas de alga wakame

1/2 pepino

1 manzana

1 naranja

5 cintas de cebollino

1 cuchara de jengibre fresco rallado fino

1 cuchara de semillas de sésamo

una pizca de pimienta cayena

el zumo de 1 naranja

2 cucharadas de aceite de sésamo prensado en frío

2 cucharadas de aceite de oliva virgen

Con la tijera de cocina cortamos el alga transversalmente, lo más fina posible y la dejamos en remojo durante 10 minutos.

Pelamos el pepino cortándolo longitudinalmente y luego en finos casquitos.

Se pela la manzana y la naranja y se cortan también en finos casquitos.

Cortamos los cebollinos muy pequeños.

Colocamos todo en la ensaladera junto con el alga deshidratada y escurrida.

En un pequeño bol añadimos el zumo de la naranja, los aceites, la ralladura de jengibre, la pimienta y el sésamo; batimos y lo vertemos sobre la ensalada removiendo con cuidado.

MANZANA

La reina de la frutas.
Cura tanto la diarrea como el estreñimiento, ayuda a reducir el colesterol, alcalinizante, antiinflamatoria; detiene el proceso de la arteriosclerosis, retrasa el envejecimiento, frena la formación de cálculos en la vesícula. Preventiva del cáncer de colón.

ENTRE ESCAROLAS y GRANADAS

Ingredientes

400 g de escarola (opcional berros o rúcula)

1 granada

1/2 pepino mediano

1/4 de pimiento amarillo

1 cucharadita de nuez moscada rallada

4 cucharadas de aceite de oliva virgen

6 pimientas negras

1 cucharadita de zumo de limón

1 cucharadita de vinagre de manzana

1 cuchara de sirope o miel

una pizca de sal marina

Troceamos con las manos las hojas verdes, no muy pequeñas, colocándolas en un plato grande y llano.

Para desgranar la granada ver la página 59.

Cortamos el pepino y el pimiento dulce en cuadritos.

Colocamos las semillas de la granada, el pepino y el pimiento encima de las hojas.

En el mortero colocamos la sal, la pimienta y la ralladura de nuez moscada, machacamos bien, le añadimos el aceite, el zumo de limón, el vinagre y el sirope, batimos con la batidora de varillas hasta que toda la salsa esté unida, luego la vertemos sobre la ensalada.

Sugerencia:

Los diabéticos pueden sustituir la miel por sirope de agave.

LA ESCAROLA

Podemos encontrar la escarola lisa o la rizada, ambas son muy ricas en provitamina A, en ácido fólico y en cinc, oligoelemento que escasea en los alimentos de origen vegetal.
Contiene sustancias amargas que estimulan los órganos digestivos y facilita el vaciamiento de la vesícula biliar. Además es alcalinizante y ligeramente diurética, su consumo favorece las dietas de adelgazamiento.

ENDIBIAS con CREMA de AGUACATE

Ingredientes

1 endibia

1 aguacate

1/4 de pimiento verde

1/2 cebolla roja pequeña

2 cucharadas de nueces troceadas

1/2 diente de ajo

el zumo de 1/2 limón

una pizca de sal marina

una pizca de pimienta negra molida

Cortamos un poco la parte final de las endibias para poder desprender las hojas con mayor facilidad. Aproximadamente pueden salir 8 hojas por endibia.

Colocamos en el vaso de la batidora, el aguacate, el pimiento, la cebolla, el ajo, el zumo del limón, la sal y la pimienta. Batimos hasta que quede una crema homogénea.

Con una cucharada repartimos esta crema por dentro de las hojas de las endibias, luego añadimos los trocitos de nueces y decoramos con nuestra propia creatividad.

LA ENDIBIA

Gran amiga del estómago.
Con acción aperitiva y tonificante y apenas aporte de calorías, la hace muy apropiada en las dietas de adelgazamiento. Muy recomendada para los diabéticos y las personas que padecen de afecciones en la vesícula biliar.

CRUDITÉ
en BLANCO YOGUR

Ingredientes

1 zanahoria

1 pepino

1/4 de pimiento rojo

1/4 de pimiento verde

1/4 de pimiento amarillo

1 puerro

1 rama de apio

4 tomates Cherry

4 rábanos

Salsa

1/2 yogur de soja natural (50 g aprox.)

25 g de aceite de oliva de 1ª presión

25 g de aceite de semillas de girasol de 1ª presión

1 diente de ajo

2 cucharadas de zumo de limón

1/2 cebolla roja

8 aceitunas sin pipa

1/4 de manojo de cilantro (las hojas), opcional

1 cucharadita de cilantro seco

sal y pimienta al gusto

Se colocan en el vaso de la batidora los ingredientes de la salsa. Introduciendo el brazo de la batidora hasta el fondo, y sin moverla, batimos a la máxima velocidad hasta que todo esté bien mezclado y cuajado. En ese momento ya se puede mover la batidora de arriba abajo; si ha quedado un poco líquida se le puede añadir más aceite para que espese.

No tengo mucho que decir sobre la presentación de esta ensalada, ya que creo que la forma de cortar y la colocación de los alimentos es muy personal, y puede divertir mucho a la persona que la realiza, desarrollando la creatividad. También la variedad de los productos es muy libre.

En este tipo de ensalada no se usan cubiertos, se come con las manos mojando en la salsa. Se puede usar de picoteo, y además siempre es un éxito en las fiestas o reuniones de amigos (mis amigas sobre todo me lo agradecen, porque mientras charlamos y picoteamos mantenemos el peso).

Con SABORES de MI TIERRA

Ingredientes

1 aguacate

1 lechuga pequeña

1 cebolla roja

1 tomate de ensalada grande

1 pepino pequeño

6 aceitunas

4 cucharadas de aceite de oliva virgen de 1ª presión

1 cucharada de vinagre de manzana

sal y pimienta al gusto

Cortamos la lechuga con las manos en pequeñas partes; pelamos y cortamos la cebolla en medias lunas; pelamos el aguacate, le retiramos la pipa (ver pág. 58) y lo cortamos transversalmente; el tomate lo cortamos de igual forma.

Colocamos todo en una fuente junto con las aceitunas.

En un recipiente aparte, ponemos el aceite, el vinagre, la sal y la pimienta, lo batimos a mano y lo vertemos por encima de la ensalada. Después lo mezclamos todo.

Se puede servir en platos individuales.

LECHUGA

Seda los nervios y sacia el estomago.
Los antiguos romanos tenían la costumbre de comer lechuga por la noche, después de una copiosa cena. Actualmente también recomendamos tomar lechuga por la noche a los estresados habitantes de las ciudades modernas; pero no después, sino en vez de una copiosa cena.

BARQUITOS de PEPINO

Ingredientes

1 pepino mediano

1 cucharada de semillas de girasol

1/2 zanahoria

1 tomate

1/2 pimiento dulce

50 g de aceitunas verdes sin hueso

el zumo de 1/2 limón

una pizca de sal

una pizca de pimienta cayena molida

1 cucharada de mayonesa de soja (receta en pág. 62)

Cortamos los pepinos longitudinalmente; con una cucharita vamos vaciándolos, y picamos la pulpa extraída para colocarla en un colador y que escurra el jugo.

Se pela el tomate; troceamos el pimiento, las aceitunas y el tomate todo muy picado; los colocamos en un bol y añadimos la mayonesa, la pulpa del pepino, la sal, la pimienta y el zumo del limón; removemos y se van rellenando los pepinos.

Vertemos las semillas y la zanahoria rallada por encima y espolvoreamos con pimentón molido.

Sugerencia:

El pepino *tira de la sal*, probablemente tengamos que poner un poco más (al gusto).

LA ZANAHORIA

Un auténtico alimento medicina.
Unos de los alimentos más ricos en provitamina A.
Tres sustancias destacan en su composición:
- Carotenoides (imprescindibles para el buen funcionamiento de la retina).
- Fibra vegetal (ayuda a normalizar el tránsito intestinal suavizando la mucosa).
- Aceites esenciales (activos contra los parásitos intestinales).
Preventiva del cáncer.

ENSALADA con SEMILLAS de CHÍA

Ingredientes

2 cucharas de semillas de chía

2 rodajas de piña tropical (200 g)

100 g de hojas de espinacas

3 ramitas de eneldo

el zumo de 1/2 limón

1 cuchara de sirope de agave

2 cucharas de aceite de girasol de 1ª presión

Colocamos las semillas de chía en un pequeño recipiente con agua que las cubra, dejándolas en maceración un mínimo de 15 minutos hasta que el agua se vuelva un poco gelatinosa.

Pelamos la piña, retiramos el corazón y la cortamos en casquitos; separamos las hojas de espinaca (dependiendo la clase de hoja se puede cortar con las manos para que sean más pequeñitas y agradables a la hora de comer). Se coloca todo en una ensaladera.

En un pequeño bol colocamos las semillas ya maceradas con su agua gelatinosa, añadiendo el sirope, el aceite y el zumo de limón. Batimos con la batidora de varillas y vertemos la mezcla por encima de la ensalada.

Lo decoramos con el eneldo.

LA GELATINA DE LAS SEMILLAS DE CHÍA

Dejar en remojo las semillas de chía es una muy buena forma de aprovechar al máximo sus beneficios, ya que asimilamos mejor su alto contenido en mucílagos y fibra soluble. Este tipo de fibra retarda el índice de glucosa en sangre y reduce la absorción de colesterol.
Dado su alto contenido de omega 3 y la baja proporción de omega 6 en su composición, la mezcla con aceite de girasol permite obtener un equilibrio: bastaría con ingerir apenas una cucharadita a fin de cubrir las necesidades diarias de ácido linolénico.

AGUACATES RELLENOS

Ingredientes

1 aguacate

5 champiñones

1/4 de cebolla roja pequeña

5 nueces

2 hojas de lechuga

2 cucharadas de zanahoria rallada finamente

2 cucharas de mayonesa de soja (ver pág. 62)

Partimos los aguacates por la mitad, retiramos la pipa y los pelamos (ver pág. 58).

Colocamos las hojas de lechuga en un plato llano (otra opción es, servirlos individualmente).

Troceamos los champiñones, las nueces y las cebollas muy pequeñitos.

En un bol, añadimos la mayonesa de soja, las nueces, los champiñones y la cebolla, removiendo todo con una cuchara hasta que se forme una pasta que se coloca encima de los aguacates. Les damos una forma redondeada y los decoramos con la zanahoria rallada.

EL CHAMPIÑÓN

Reduce las necesidades de insulina.
Su consumo beneficia a los diabéticos por su escaso aporte en hidratos de carbono, así como su relativa riqueza en proteínas y vitaminas del grupo B. Consumidos crudos, benefician en las dietas de adelgazamiento, por su acción saciante y su escaso aporte calórico.

ALBAHACA entre AMIGOS

Ingredientes

2 tomates de ensalada maduros

50 g de hojas de albahacas

1 tallo de apio

4 cucharadas de aceite de oliva virgen

1 cucharadita de hojas de orégano seco

1 diente de ajo

una pizca de pimienta cayena

una pizca de sal marina

1 cucharadita de vinagre de manzana

7 almendras

Cortamos los tomates en rodajas y los distribuimos en un plato.

Disponemos las hojas de la albahaca por encima de los tomates.

Cortamos el apio transversalmente, no muy grueso, y se coloca en el centro del plato de ensalada.

Preparación del aliño:

Calentamos un poco de agua, apagando cuando hierva, y le añadimos las almendras. En 5 minutos estarán listas para retirarles la piel.

Ya templadas, machacamos en un mortero las almendras, junto con la sal, el diente de ajo y el orégano; luego añadimos el resto de los ingredientes y el aceite poco a poco, uniéndolos con la batidora de varillas hasta que esté homogéneo.

Por último vertemos la vinagreta por encima de la ensalada.

LA ALBAHACA

Aroma tranquilizador.
Favorece la digestión, siendo muy útil en caso de gastritis y hernia de hiato; refuerza el sistema nervioso y mejora la circulación sanguínea. Masticar hojas de albahaca reduce el mal aliento.

CON RÚCULA Y PERA

Ingredientes

100 g de rúcula

1 pera grande

2 cucharadas de piñones

1/2 cebolla roja

el zumo de 1 limón

1 cucharadita de semillas de mostaza

1 cuchara de miel o sirope

5 cucharadas de aceite de oliva virgen

una pizca de sal

una pizca de pimienta cayena molida

Pelamos y troceamos las peras en triangulitos pequeños rociándolas con el zumo del limón. Las reservamos en un bol.

Pelamos la cebolla y la troceamos en medias lunas muy finas.

Se retiran los tallos más gruesos de la rúcula si los tuviera.

Colamos las peras y reservamos el zumo que haya sobrado para la vinagreta.

Colocamos todo en una ensaladera por tandas y añadimos los piñones.

Machacamos en un mortero las semillas de mostaza junto con la sal.

Añadimos el sirope, el zumo que sobró de la pera, el limón y la pimienta. Se añade el aceite poco a poco uniéndolo con la batidora de varillas y el resultado lo vertemos sobre la ensalada.

Sugerencia:

Los diabéticos pueden sustituir la miel por sirope de agave.

PERA

Eficaz para controlar la tensión arterial.
Diurética, remineralizante. Tiene un efecto alcalino, por lo tanto se recomienda cuando hay ácido úrico.
Importante es destacar sus beneficios en caso de insuficiencia renal, es diurética y depurativa.

ENDULZANDO las ENDIBIAS

Ingredientes

1 naranja y el zumo de otra

1 aguacate

1 endibia grande

2 cucharadas de nueces troceadas o semillas de girasol

1 cucharada de miel o sirope

2 cucharadas de aceite de girasol prensado en frío

el zumo de 1/2 limón

1 cucharadita de vinagre de manzana

una pizca de sal

pimienta

Pelar y cortar en pequeños casquitos una de las naranjas, con la otra hacer un zumo.

Cortar transversalmente la endibia.

Pelar y cortar en cuadritos el aguacate, añadir unas gotas de zumo de limón, para que no se oscurezca.

Colocar los ingredientes en una ensaladera.

En un bol pequeño poner el aceite, el sirope, el zumo de la naranja, el vinagre, salpimentar y batir con la batidora de varillas.

Verter el aliño sobre la ensalada y luego las semillas de girasol o de nueces (al gusto).

Sugerencia:

Los diabéticos pueden sustituir la miel por sirope de agave.

LA NARANJA

Mucho más que vitamina C.
Muy rica en vitaminas y minerales por su contenido en ácido fólico; está recomendada para las mujeres embarazadas, en caso de anemia, colesterol, enfermedades infecciosas, trombosis, afecciones cardiovasculares; es un potente antioxidante.

MILHOJAS
de PIMIENTO

Ingredientes

2 pimientos rojos pequeños

1 cebolla roja

1 tomate pequeño

4 hojas de espinacas o lechuga

1 cucharadita de hojas de tomillo

unas ramitas de perejil

5 cucharadas de aceite de oliva virgen

1 cucharada de vinagre de manzana

1 diente de ajo

5 pimientas negras

sal marina

Cortamos los pimientos en aros, retiramos las semillas del interior y los filamentos blancos.

Pelamos la cebolla y la cortamos en rodajas finas. El tomate lo cortamos igual.

Prepararmos una vinagreta en el mortero machacando la sal, la pimienta, el tomillo, el ajo y unas ramitas de perejil; cuando esté todo triturado, añadimos el aceite y el vinagre uniéndolo bien.

Para acabar, recomponemos el pimiento alternando los distintos ingredientes: un aro de pimiento, otro de cebolla, el tomate, la hoja del verde que hayamos elegido y regamos en cada capa con un poco del aliño.

PIMIENTO ROJO

Aperitivo y tonificante gástrico.
Bajo en calorías, destacamos su alta cantidad de provitamina A (betacarotenos) y de vitamina C, cuatro veces más que la naranja. Destaca también por su contenido en flavonoides, potente antioxidante que actúa como antiinflamatorio y protector del sistema nervioso.
Preventivo del cáncer digestivo.

COLES con SABOR TROPICAL

Ingredientes

1/2 piña tropical pelada

1/4 de col roja pequeña

1/4 de col verde pequeña

1/2 pepino pequeño

2 cucharadas de semillas de girasol

1/2 pimiento rojo

3 hojas de lechuga

5 cucharadas de aceite de girasol de 1ª presión

1 cucharada de zumo de limón

una pizca de sal

una pizca de pimienta cayena

Cortamos en juliana (o rallamos) la col roja, la blanca y el pepino, el pimiento en cuadritos y la piña en pequeños casquitos.

Troceamos las hojas de lechuga con las manos y las colocamos en el fondo del plato.

Vamos colocando los ingredientes por capas con libre inspiración.

En un bol ponemos el aceite, el limón, la sal, la pimienta y las semillas de girasol; se bate y lo vertemos sobre la ensalada en el momento de servir.

LA PIÑA TROPICAL

Destacamos su alto contenido en bromelina, un principio activo que actúa en el tracto digestivo deshaciendo las proteínas y facilitando su digestión; es rica en vitaminas y minerales.
Consumida antes de las comidas reduce el apetito y además es ligeramente diurética.
Ayuda a prevenir cáncer de estómago.

ENSALADA CARIÑOSA de ESPINACAS

Ingredientes

100 g de hojas de espinacas

1 manzana

1 endibia

1/2 zanahoria

1/2 cucharada de semillas de calabaza

el zumo de 1 limón

5 cucharadas de aceite de oliva virgen

1 cucharada de aceite de semillas de calabaza de 1ª presión

sal marina

una pizca de pimienta cayena

Colocamos en un bol la manzana pelada y troceada junto con el zumo del limón.

Cortamos las endibias transversalmente, rallamos la zanahoria y se separan las hojas de las espinacas del tallo para ir colocando todos los ingredientes en una ensaladera.

Escurrirmos la manzana y la unimos a los vegetales.

En el zumo de limón que nos quedó del escurrido de la manzana, añadimos los aceites, la sal y la pimienta, lo batimos todo con la batidora de varillas hasta que esté homogéneo, lo vertemos por encima de la ensalada y colocamos las semillas.

ESPINACAS

Además de dar fuerza a los músculos, protege la retina.

Su poder nutritivo radica en su gran riqueza vitamínica y mineral, cubriendo las necesidades diarias de vitamina A, C, magnesio y hierro.

Previene la pérdida de agudeza visual, la anemia y el aumento de colesterol.

Por su riqueza en ácido fólico, es una verdura ideal para las embarazadas.

TOFU SALPICADO en SÉSAMO

Ingredientes

100 g de tofu fresco

5 rábanos

1 cebolla roja pequeña

1/2 pimiento dulce

1/2 manojo de perejil

1 cucharada de semillas de sésamo

4 cucharadas de salsa de soja

2 cucharadas de aceite de oliva virgen

2 cucharadas de aceite de sésamo prensado en frío

sal y pimienta

Se corta el tofu en cuadritos pequeños, se colocan en un bol con la salsa de soja y se deja macerando.

Cortamos los rábanos en rodajas; la cebolla y el pimiento dulce en cuadritos; se retiran los tallos gruesos del perejil y se pican las hojas.

Escurrimos el tofu y lo mezclamos con la verdura. Preparamos un aliño con el resto de la salsa de soja que nos quedó de la maceración del tofu; le añadimos los aceites y salpimentamos al gusto. Lo batimos hasta que esté homogéneo, agregando las semillas y lo vertemos sobre la ensalada.

Sugerencia:

El tiempo de la maceración puede variar desde 1/2 h hasta 24 h, dependiendo de la intensidad de sabor que queramos en el tofu.

EL PEREJIL

Es un potente antioxidante: rejuvenece la piel; rico en betacaroteno, calcio, vitamina C; ayuda a fortalecer el sistema inmune, diurético, muy adecuado para combatir y prevenir la osteoporosis y durante la menopausia. Ideal para la piel, el pelo y las uñas.

APIO con SEMILLAS de GIRASOL

Ingredientes

1 tallo de apio

1 manzana

3 hojas de lechuga

4 champiñones

el zumo de 1/2 limón y 1/2 zanahoria

unas ramitas de perejil

5 cucharadas de aceite de girasol de 1ª presión

1 cucharada de vinagre de manzana

una pizca de sal

6 pimientas negras

1 cucharadita de semillas de mostaza

2 cucharadas de semillas de girasol

Pelamos y cortamos la manzana en cuadritos pequeños.

Retirar el final del tronco de los champiñones lavando bien el resto y cortándolos en láminas. Se colocan la manzana y los champiñones en un bol con un poco de zumo de limón para que no se oscurezcan y reservamos.

Cortamos o rallamos la zanahoria en juliana y la colocamos en la ensaladera. Encima le colocaremos la lechuga muy picadita y el apio cortado transversalmente en pequeños trocitos. Escurrimos la manzana y los champiñones y los añadimos a la ensalada.

En un mortero colocamos la sal, la semilla de mostaza, la pimienta negra y machacamos; luego le añadimos el aceite, el vinagre, las semillas de girasol, lo batimos para que todos los ingredientes se unan y lo vertemos por encima de la ensalada en el momento de servir.

Se decora con un poco de perejil picado.

EL APIO

Limpia la sangre y reduce el colesterol.
Su sabor no pasa desapercibido en una ensalada, pero es precisamente el aceite esencial que contiene, el responsable de ese sabor y de la mayor parte de sus propiedades salíferas. Destacamos su efecto hipotensor, alcalinizante y diurético. Ayuda a reducir los niveles de colesterol, el ácido úrico y cálculos renales.
Ejerce un efecto protector sobre la piel en caso de psoriasis y es tonificante.

ARMONÍA de TOMATES

Ingredientes

5 tomates de diferente especies (Cherry, pera, negro...)

1/4 de pimiento dulce amarillo

1/4 de manojo de perejil

1/4 de manojo de hierbabuena

el zumo de 1/2 limón

1 diente de ajo

10 almendras sin piel

la ralladura de 1/2 limón

6 cucharadas de aceite de oliva virgen

sal y pimienta

Cortamos todos los tomates en rodajas y troceamos el pimiento muy pequeño.

En un mortero se añade el perejil, la hierbabuena, el ajo, las almendras, la ralladura del limón, la sal y la pimienta. Cuando esté todo machacado, vertemos el pimiento, el aceite con el zumo del limón y lo batimos bien.

Con una cucharita, vamos vertiendo la vinagreta por encima de los tomates.

TOMATE

Protege la próstata.
Es un autentico alimento medicina, muy rico en licopeno, un carotinoide de acción antioxidante que protege del cáncer. Es diurético, nos ayuda a aumentar las defensas y a reducir los niveles de colesterol.

CARPACHO de RABANILLOS

Ingredientes

7 rábanos

5 fresas

5 champiñones

el zumo de 1 limón

8 hojitas de albahaca

1 yogur de soja

1 cucharadita de aceite de semillas de girasol (o de oliva) de 1ª presión

Sal y pimienta negra

Cortamos en láminas los champiñones y los dejamos macerando en el zumo de limón unos minutos.

Cortamos las fresas y 5 rábanos en láminas. Se colocan en un plato grande y llano, y colocamos encima los champiñones ya escurridos.

Con los rábanos restantes preparamos un jugo (ver pág. 59).

Picamos muy pequeñitas 3 hojas de albahaca y las colocamos en un bol junto con el yogur, el jugo de los rábanos, el aceite y una cucharadita de zumo de limón. Salpimentamos y removemos con la batidora de varillas.

Se decora con la albahaca.

La salsa se puede servir aparte.

LA FRESA

Antioxidante.
Rica en vitamina C, contiene fitonutrientes y antioxidantes que ayudan a combatir los radicales libres, otorgando protección a la estructura celular y previniendo del daño oxidénico.
Rica en fibra soluble facilita la menor absorción de carbohidratos.

NARANJA con AGUACATES

Ingredientes

1 naranja

1 aguacate

100 g de canónigos

2 cucharadas de piñones

2 granos de cardamomo

el zumo de 1 naranja

1/2 limón

5 cucharadas de aceite de girasol de 1ª presión

Pelamos la naranja y la cortamos en casquitos; preparamos el aguacate (ver pág. 58) para cortarlo en rodajas; colocamos todo en una ensaladera junto con las hojas de berros.

Abrimos las semillas de cardamomo y las colocamos en un mortero junto con los piñones. Lo machacamos, le añadimos el zumo de la otra naranja, el zumo de limón, y el aceite. Lo batimos bien con la batidora de varillas y lo vertemos sobre la ensalada en el momento de servir.

El CANÓNIGO

El canónigo es una planta de estacionalidad muy marcada. La mejor época para consumirla abarca desde finales de otoño hasta el fin del invierno.
Su mayor ventaja nutricional reside en el aporte de minerales (potasio, hierro) y vitaminas (A, C, B3, B6 y ácido fólico).

CALABACINES MARINADOS

Ingredientes

1 calabacín

(mejor si no es muy grande, su piel es más fina)

1 cebolla roja pequeña

3 rábanos

el zumo de 1 limón

4 cucharadas de aceite de oliva virgen

sal y pimienta

Cortamos el calabacín, sin pelar, en rodajas lo más finas posibles.

Pelamos la cebolla y la cortamos en rodajas muy finas.

Cortamos los rábanos en rodajitas.

Unimos el zumo de limón con el aceite, batiendo hasta que esté bien unido, vertemos la mitad en el fondo del plato y reservamos la otra parte.

Colocamos en el plato los calabacines, los aritos de cebolla y los rábanos, en capas, espolvoreamos con sal y pimienta; terminamos vertiendo el resto de la salsa.

Lo dejamos marinar al fresco durante dos horas.

Sugerencia:

Lo podemos acompañar con otras verduras, por ejemplo: zanahoria, pimiento dulce, etc.

EL CALABACÍN

Suaviza el conducto digestivo.
Ligeramente diurético, se recomienda en curas de adelgazamiento, ya que aporta muy poca grasa y calorías, pero una cantidad relativamente importante de proteínas; destacamos sus beneficios en afecciones cardiovasculares: hipertensión, arteriosclerosis y afecciones coronarias.

TOFU con SABOR a FRUTAS

Ingredientes

100 g de tofu fresco

1 manzana

1 granada

1 endibia

el zumo de 1 limón

1 cucharada de semillas de calabaza

1 cuchara de pasas sultanas

1 cucharada de aceite de semillas de calabaza prensado en frío

2 cucharadas de aceite de semillas de girasol prensado en frío

Cortamos el tofu en cuadradillos y se coloca en el recipiente donde hemos añadido el sirope, el jugo de 1/2 limón y las pasas (es mejor que este aderezo cubra todo el tofu para que coja bien todo el sabor) y lo dejamos macerando. El tiempo de la maceración puede variar desde 1/2 hasta 24 horas, depende de la intensidad de sabor que queremos en el tofu.

Pelamos la manzana, se corta en casquitos y le añadimos el zumo de medio limón para que no oscurezca. Se desgrana media granada (ver pág. 59) y con la otra restante se hace un zumo en el exprimidor de naranjas, que lo reservamos para el aliño.

Cortamos la endibia transversalmente.

Colocamos en una ensaladera la fruta, las endibias, las semillas y el tofu escurrido.

El zumo que sobró de la maceración del tofu y el de la manzana lo colocamos en un pequeño recipiente, donde le añadimos el jugo de la granada y los aceites. Se bate hasta que esté bien unido y lo vertemos por encima de la ensalada.

LA GRANADA

Enriquecedora de la sangre.
Destacamos su efecto como poderoso antioxidante celular, frenando los procesos de envejecimiento y degeneración cancerosa. Recomendable en caso de gota, ácido úrico y obesidad. Efectiva en diarreas, cólicos intestinales, exceso de gases y acidez.

DULZURAS de CALABAZA

Ingredientes

300 g de calabaza
1 cucharada de pasas sultanas
3 cm aprox. de raíz de jengibre
1 manzana
el zumo de 1/2 limón
1 cucharada de semillas de calabaza
1/4 de manojo de menta o hierbabuena
1 cucharada de sirope o miel
2 cucharadas de vinagre de manzana
2 cucharadas de aceite de semillas de calabaza
una pizca de sal marina fina
5 pimientas negras, 1/4 de nuez moscada rallada,
4 clavos y 1/2 cucharadita de canela en polvo

Pelamos y retiramos las pipas de la calabaza para cortarla en juliana.

Se prepara un aliño con el vinagre de manzana, el sirope, la sal y las especias. Lo batimos con la batidora de varillas y lo vertemos sobre la calabaza y las pasas, dejándolo macerar 2 horas a temperatura ambiente.

Pelamos y cortamos la manzana en gajos, rociando con el zumo del limón para que no se oscurezca. Se le añaden las semillas y el jengibre pelado y rallado fino.

Retiramos las semillas de clavo y las pimientas negras de la calabaza.

Disponemos en una ensaladera la calabaza, las pasas, la manzana, el jengibre y las semillas.

Cortamos muy finitas unas hojitas de hierbabuena o menta y se las añadimos al aliño de la maceración que nos quedó después de colar la calabaza.

Finalmente, a ese aliño le añadimos el aceite y lo batimos para que todo esté homogéneo cuando se vierta por encima de la ensalada.

UVAS PASAS

Son muy ricas en hierro, también en potasio y en fibra vegetal. Su contenido en grasa es casi el mismo que el de las uvas frescas (0,54%). Las vitaminas del complejo B se hallan más concentradas, pero en cambio la C disminuye, comparado con la uva.
Para las ensaladas, mejor usar las sultanas, que no contienen pipas.

ENTRE el AGUACATE y el TOMATE

Ingredientes

1 aguacate

1 tomate grande

1/2 cebolla roja

1/4 de pimiento dulce rojo

1 diente de ajo

4 pimientas negras

1 cucharadita de orégano

4 cucharadas de aceite de oliva virgen

1 cucharadita de vinagre de manzana

una pizca de sal gruesa marina

Cortamos los aguacates por la mitad para retirar la pipa antes de pelarlos (ver pág. 58). Después se cortan las mitades en forma de medios aros.

Cortamos los tomates de la misma forma que los aguacates, colocándolos luego en un plato alternando una vez cada uno.

Pelamos la cebolla y la cortamos junto con el pimiento, en cuadritos. Seguidamente los colocamos alrededor de los aguacates y el tomate.

En un mortero colocamos la sal, el ajo, la pimienta y el orégano. Lo machacamos bien y le añadimos el vinagre y el aceite mientras vamos batiendo con la batidora de varillas (hasta que estén unidos) todos los ingredientes. Seguidamente lo vertemos por encima de la ensalada.

EL AGUACATE

Reduce el colesterol y combate la anemia.

Las grasas del aguacate son de elevado valor biológico, mayormente instauradas, y no contienen colesterol; destacamos su alto contenido en proteínas de gran valor nutricional.

Sus indicaciones para la buena salud son innumerables, destacando su papel en casos de exceso de colesterol, trastornos circulatorios, arteriosclerosis, hipertensión, anemia, afecciones digestivas y diabetes.

Es muy rico en vitamina B6, una de la más importes para el buen funcionamiento de las neuronas.

Es un alimento ideal para los que padecen de nerviosismo, irritabilidad o depresión nerviosa.

ORIENTAL con SÉSAMO

Ingredientes

Un trocito de puerro (unos 5 cm)

1/2 pimiento dulce amarillo

1/2 pepino mediano

1/2 manzana

El jugo de 1/2 limón

1 cuchara sopera de brotes

(en la imagen hemos usado lentejas; pág. 49)

1 cucharadita de salsa de soja

2 cucharadas de aceite de soja prensado en frío

1 cucharadita de jugo de jengibre (pág. 59)

2 cucharaditas de sirope o miel

1 cucharada de semillas de sésamo

Cortamos el puerro, el pimiento y el pepino en juliana, en tiras de aproximadamente 5 cm.

Pelamos la manzana, la cortamos en juliana, con la parte gruesa del rallador, y la reservamos en un bol con el jugo del limón unos minutos.

Colocamos todos estos ingredientes junto con los brotes, en una ensaladera y añadimos las semillas de sésamo por encima.

En un bol colocamos la salsa de soja, el aceite de sésamo, el jugo de jengibre, el sirope y una cucharadita de zumo de limón. Lo batimos todo con la batidora de varillas.

Este aliño se puede servir aparte o verterlo sobre la ensalada.

Sugerencia:

Los diabéticos pueden sustituir la miel por sirope de agave.

EL PUERRO

Elimina el ácido úrico.
Rico en minerales, destacando el calcio, el hierro y el magnesio.
Es un gran alcalinizante y diurético. Conviene a las personas que padecen de artritis, gota y enfermedades del riñón.
Alivia los síntomas de bronquitis y sinusitis, por su acción de fluidificar la mucosidad.

SORPRESAS al PESTO

Ingredientes

4 coles chinas u hojas de lechuga

1/2 manojo de cebollinos

1 manojo de albahaca

100 g de tofu

2 dientes de ajo

5 cucharadas de aceite de oliva virgen

2 cucharadas de piñones
(se pueden sustituir por almendras peladas)

1 cucharadita de vinagre de manzana

4 rábanos rojos

sal y pimienta

En el vaso de la batidora de mano colocamos las hojas de albahaca, los piñones, el ajo, el aceite, el vinagre, una pizca de sal, un poco de pimienta y batimos hasta que se forme una crema. Tiene que tener una consistencia tirando a espesa (si está muy densa añadimos un poco de agua).

Cortamos el tofu en cuadritos pequeños, cortamos el rábano muy menudo y se lo añadimos a la salsa, removiendo un poco para que todo esté unido.

Abrimos las hojas de lechuga y repartimos el relleno en las cuatro hojas.

Para acabar, cerramos con unas tiras de cebollino alrededor y un nudo.

CEBOLLINO

Ante todo, es aperitivo y digestivo, recomendado cuando hay problemas de piel.
Su sabor, más suave que el de la cebolla, combina muy bien en las ensaladas.

CALABAZA con AROMAS del MEDITERRÁNEO

Ingredientes

100 g de calabaza

1/2 manojo de albahaca

1 tomate grande de ensalada

8 aceitunas negras

1/2 cebolla roja

1/2 cucharada de hojas de romero

1 cucharada de aceite de semillas de calabaza prensado en frío

4 cucharadas de aceite de oliva virgen

1 cucharada de vinagre de manzana

4 pimientas negras

una pizca de sal

Pelamos, retiramos las pipas y rallamos la calabaza.

Pelamos y cortamos la cebolla en aritos; el tomate lo cortamos en pequeños cascos. Colocamos todo en una ensaladera junto con las hojas de la albahaca y las aceitunas.

En un mortero colocamos el romero, las pimientas y la sal; machacamos, añadimos los aceites y el vinagre, lo batimos con la batidora de varillas y lo vertemos por encima de la ensalada.

CALABAZA

Una gran amiga de las arterias.
Es diurética, hipotensora, laxante y antioxidante.
Está incluida en al lista de alimentos de mayor acción anticancerígena.

FLORES de COLIFLOR y MUCHA IMAGINACIÓN

Ingredientes

100 g de coliflor

100 g de col roja

100 g de col verde

5 nueces

2 manzanas

el zumo de 1 limón

1 cucharadita de semillas de mostaza

4 pimientas negras

1 cucharada de sirope

1 cucharada de sal marina

1 cucharada de aceite de nuez prensado en frío

2 cucharadas de agua

Vamos separando las pequeñas flores de la coliflor; cortamos las coles en juliana o la rallamos.

Colocamos la verdura en un plato hondo, le añadimos la cucharada de sal y la amasamos con las manos para que se distribuya bien la sal. Le colocamos un plato encima con un peso para que haga presión y la dejamos macerar durante media hora. Después de este tiempo se cuela y se pasa por agua fría para eliminar el exceso de sal.

Pelamos y cortamos las manzanas, le añadimos el zumo de limón para que no se oscurezcan; separamos una parte para la ensalada y otra para la salsa. En una ensaladera colocamos las verduras junto con las nueces troceadas y la mitad de las manzanas.

Para la salsa:

Colocamos la otra mitad de la manzana en el vaso de la batidora de mano junto con el zumo de limón que sobró, las semillas de mostaza, las pimientas, el sirope, las cucharadas de agua, el aceite y batimos bien hasta que todo esté triturado y cremoso. Podemos servirla separada o verterla por encima de las verduras.

COLIFLOR

La más digestiva de las coles.
Es muy rica en minerales y vitamina, sobre todo B, C y E.
Muy recomendada para todo tipo de afecciones digestivas (gastritis, úlceras, divertículos...).
También es diurética, depurativa, antisudoral, y es muy beneficiosa cuando tenemos problemas de riñón.

CILANTRO con SABOR a NICARAGUA

Ingredientes

1 manojo de cilantro

1 tomate grande

1 cebolla roja mediana

el zumo de 1 limón

sal y pimienta

Picamos todos los ingredientes muy pequeñitos y los colocamos en una ensaladera. Solo queda añadirles el zumo de limón, salpimentar y remover.

Esta ensalada acompaña muy bien con pastas integrales.

CILANTRO

Destacan sus propiedades sobre el aparato digestivo.
Eupético: facilita la digestión.
Carminativo: elimina los gases.
En gastritis, insuficiencias pancráticas y digestiones pesadas activa sus propiedades beneficiosas.
Ligeramente tonificante del sistema nervioso.

ENSALADA CROMÁTICA de WAKAME

Ingredientes

1 pepino pequeño

1 tallo de apio

6 rábanos rojos

2 tiras de alga wakame

1/4 de manojo de hierbabuena o menta

4 cucharadas de aceite de oliva virgen

1 cucharada de vinagre de manzana

1 cucharada de sal marina

una pizca de pimienta cayena en polvo

Cortamos con una tijera de cocina el alga para dejarla en agua durante 5 minutos.

Se cortan las verduras en rodajas muy finas y les añadimos la sal; mezclamos todo y lo colocamos en un plato. Colocamos encima otro plato igual y le añadimos un peso. Lo dejamos prensado (en maceración) durante 2 horas. Cuando haya transcurrido este tiempo lavamos bien las verduras para que suelten la sal, las escurrimos y las colocamos en la ensaladera junto con las algas también escurridas y las hojas de hierbabuena.

Preparamos un aliño con el aceite, el vinagre y la pimienta; batimos con la batidora de varillas y lo vertemos por encima.

EL RÁBANO

Pica un poco y beneficia mucho.
En su esencia sulfurada de sabor picante es donde encontramos sus beneficios.
Facilita el vaciamiento de la vesícula, resultando digestivo; por su propiedad de ablandar la mucosidad está recomendado en sinusitis y bronquitis.
Preventivo del cáncer.

TOFU MACERADO con JUGO de JENGIBRE

Ingredientes

100 g de tofu fresco

1 zanahoria pequeña

1 tallito de apio

1 pepino pequeño

1/2 cebolla roja

1 cucharada de semillas de girasol

1 trozo de raíz de jengibre (10 cm)

1 cucharadita de cúrcuma

1/2 cucharadita de curry

1 cucharada de semillas de girasol

3 cucharadas de aceite de girasol prensado en frío

el zumo de 1/2 limón y una pizca de sal

Hacemos un zumo con el jengibre (ver pág. 59) al que le añadimos la cúrcuma, el curry y lo colocamos en un recipiente con el tofu cortado en cuadritos dejándolo macerar.

Pelamos y cortamos en juliana el pepino, la zanahoria, el apio y la cebolla. Lo colocamos en la ensaladera junto con las semillas y el tofu escurrido.

Al aderezo que quedó cuando escurrimos el tofu, le añadimos el aceite, el zumo de 1/2 limón y la sal, lo batimos bien y lo vertemos por encima de la ensalada.

Sugerencia:

El tiempo de maceración del tofu puede variar de 1/2 hasta 24 horas, dependiendo de la intensidad de sabor que queremos en el tofu.

JENGIBRE

Posee grandes propiedades medicinales que lo convierten en una verdadera panacea. Facilita la digestión, ayuda a la circulación de la sangre, reduce el colesterol, alivia las náuseas y los mareos, combate la tos, la gripe, mejora la vista, etc. Es antiséptico y antibacteriano; estimulante, reconstituyente y afrodisíaco.

BOLITAS de HIZIKI

Ingredientes

15 g de alga hiziki

1/4 de manojo de perejil

1/2 aguacate

1 diente de ajo

1/2 cebolla

1 manzana

1 cucharada de salsa de soja

1 cucharada de aceite de oliva

2 cucharadas de semillas de sésamo

el zumo de 1 limón

1 cucharadita de jengibre rallado

una pizca de nuez moscada

En un mortero trituramos las algas y las colocamos en un recipiente con agua, hasta donde las cubra, durante 30 minutos.

Picamos muy menuda la cebolla, el perejil y el ajo; lo colocamos en un bol, junto con el jengibre pelado y rallado fino, la pizca de nuez moscada rallada, el aguacate, el zumo de 1/2 limón, el aceite, la salsa de soja, una cucharadita de semillas de sésamo y las algas escurridas. Unimos todo hasta que se forme una masa consistente.

Con una cuchara grande vamos cogiendo y haciendo bolitas que pasamos por las semillas de sésamo.

Pelamos las manzanas, las cortamos en rodajas, las rociamos con zumo de limón, las colocamos en un plato y colocamos las bolitas encima.

EL AJO

Es quizás el remedio natural con mayores propiedades medicinales demostradas experimentalmente: efecto hipotensor a dosis altas, fluidificante de la sangre —muy utilizado por personas que han padecido trombosis, embolias o accidentes vasculares—, hipolipemiante —disminuye el colesterol LDL, es decir el nocivo para el cuerpo—, antibiótico y antiséptico general, estimulante de las defensas y vermífugo.

FLORES y HOJITAS BAÑADAS en AZAFRÁN

Ingredientes

200 g de hojas variadas

(podemos utilizar las hojas de las flores, si no son

suficiente combinarlas con lechuga, perejil, canónigos, etc.)

50 g de flores comestibles

7 filamentos de azafrán

el zumo de 1/2 limón

3 cucharadas de sirope de agave

3 cucharadas de aceite de nuez de 1ª presión

2 cucharadas de aceite de girasol de 1ª presión

Cortamos las hojas, con las manos, de un tamaño a nuestro gusto y las distribuimos sobre la ensaladera.

Machacamos el azafrán en un mortero; luego le añadimos el zumo del limón, el sirope y los aceites; lo batimos bien con la batidora de varillas y lo vertemos sobre las hojas. Por último decoramos con las flores comestibles.

HOJAS DE CAPUCHINA

Las hojas de la capuchina son de sabor un poco picante, muy ricas en vitamina C.
Las partes activas de la planta poseen acción antibiótica y bacteriológica, siendo adecuadas en infecciones de vías urinarias, gripales y dérmicas. Las hojas y flores son útiles (en ensaladas) contra la avitaminosis.

GAZPACHO con ENELDO

Ingredientes

2 tomates grandes maduros

1/4 de pepino

1/4 de cebolla roja

1/4 de pimiento rojo

1/2 diente de ajo

3 ramitas de eneldo

3 cucharadas de aceite de oliva de 1ª presión

1 cucharada de vinagre de manzana

una pizca de pimentón molido

sal y pimienta al gusto

Pelamos los tomates, el pepino, la cebolla y el ajo; los introducimos en el vaso de la batidora junto con el vinagre, el pimentón, la sal y la pimienta. Añadimos una piedra de hielo o una cucharada de agua y se bate hasta que esté todo triturado. Probar de sal.

Añadimos el aceite en el momento de servir y decoramos con unos trocitos de pepino y el eneldo.

EL ENELDO

Esta planta tiene un gran aporte de clorofila y vitamina C.
Es muy eficaz cuando padecemos de trastornos digestivos.
En forma de tisana calma el hipo y nos ayuda a dormir.

Con AGAR-AGAR

Ingredientes

5 g de agar-agar

10 g de germinado de berros

2 rodajas de piña tropical (200 g aprox.)

1/4 de pimiento rojo

4 hojas de lechuga

1 cucharadita de semillas de hinojo

2 cucharadas de aceite de nuez de 1ª presión

2 cucharadas de aceite de oliva de 1ª presión

el zumo de 1/2 limón

una pizca de sal

Cortamos las algas con la tijera de cocina en porciones de 1 cm aproximadamente, y las dejamos con agua para que se hidraten durante 20 minutos.

Después de extraer el centro de la piña cortamos la pulpa en pequeños trocitos, la colocamos en una ensaladera y cortamos el pimiento y la lechuga para unirla a la piña, los germinados y las algas escurridas.

Colocamos las semillas de hinojo en el mortero; las machacamos añadiendo a continuación los aceites y el zumo del limón junto con una pizca de sal.

Por último batimos el conjunto y se vierte sobre la ensalada.

EL BERRO

Contiene principios activos muy importantes que le proporcionan propiedades medicinales muy destacadas.
En el aparato respiratorio participa como eficaz antiviral y como expectorante en los resfriados.
Muy beneficioso en caso de diabetes, obesidad, retención de líquidos, hígado y cálculos biliares.
Rico en vitaminas, sobre todo la C.

SALPICADA con GOJI

Para 2 personas

1 cucharada de bayas de Goji

300 g de hojas verdes, mejor de sabor amargo

(escarola, endibias, rúcula...)

1 tallo de apio

8 almendras sin piel

50 g de daikon o rábanos

2 cucharadas de vinagre de manzana

5 cucharadas de aceite de oliva virgen de 1ª presión

sal y pimienta

Cortamos las hojas con las manos en pequeños trozos.

El apio y el daikon se trocean en aritos y se colocan junto con las hojas troceadas, en un bol.

En un mortero colocamos las almendras y las semillas de hinojo. Machacamos, se añade el vinagre, el aceite, el salpimentado y batimos la mezcla.

Verterlo a la ensalada colocando las bayas de Goji al final.

Truco:

La piel de las almendras se podrá retirar con facilidad sumergiéndolas en agua hirviendo durante unos minutos.

El DAIKON

Es un alimento bajo en calorías: aproximadamente proporciona unas 20 Kcal por cada 100 g.
Es rico en vitamina C, además de contener vitaminas del grupo B y provitamina A o minerales como el hierro, el potasio, el magnesio, el sodio, el fósforo o el calcio.
También se valoran sus propiedades que favorecen a la digestión. Es antiséptico y ayuda al sistema inmunitario.

ALGAS con COLOR de MANDARINA

Ingredientes

55 g de algas kombu

1 mandarina

1 puerro no muy grueso

1 manzana

1/2 zanahoria

el zumo de 1/2 limón

el zumo de 1 mandarina

dos pizcas de comino

2 cucharadas de aceite de girasol de 1ª presión

Troceamos el alga con una tijera de cocina en pequeños trocitos, dejándolos en remojo para que se hidraten durante 20 minutos.

Cortamos el puerro en aritos, la manzana en medias lunas y la zanahoria la rallamos en juliana por la parte más gruesa del rallador.

Pelamos y separamos en gajos la mandarina colocando todo en una ensaladera junto con las algas escurridas y las verduras.

Rallamos la piel de la otra mandarina y la mezclamos en un mortero junto con el comino; mientras se machaca, añadimos el zumo de la mandarina, el zumo del limón y el aceite para batirlo y rociarlo en la ensalada.

LA MANDARINA

En la medicina china se la considera muy importante. Rica en vitamina C, B, y carotenos, es una gran antioxidante. Tiene propiedades broncodilatadoras y antiinflamatorias; adecuada en tratamientos de úlceras; ayuda en el intestino y en la digestión.
En su piel podemos encontrar aceite volátil y glucósido.
Rica en potasio y fibra.

CEBICHE de BRÉCOL y CHAMPIÑONES

Ingredientes

4 champiñones

200 g de brécol

1/2 manojo de cilantro

1 cebolla roja pequeña

1 tomate grande

1/4 de pimiento dulce rojo

el zumo de 4 limones

5 cucharadas de aceite de oliva virgen

dos pizcas de sal marina

1/2 cucharadita de pimienta cayena en polvo

Separamos las florecitas del brécol.

Menos el cilantro, cortamos el resto de los ingredientes en cuadritos pequeños y los colocamos todos en un bol; vertemos el zumo de limón hasta casi cubrir todo; salpimentamos y lo dejamos macerando en la nevera un mínimo de 4 horas. Normalmente se prepara de un día para otro.

En el momento de servir le añadimos el aceite y el cilantro picadito; removemos y servimos en porciones individuales.

Sugerencia:

Esta ensalada tiene un sabor un poco agrio, el limón actúa en los vegetales produciendo un efecto parecido a una cocción. Es muy agradable como acompañamiento de otros platos.

Si la cebolla es demasiado fuerte, dejarla unas horas antes en agua con sal, para que se suavize el sabor.

LA CEBOLLA

Uno de los vegetales que más benefician nuestra salud. Especiales para curar la bronquitis al calmar y curar la tos. Remineralizante y alcalinizante de la sangre e higienizante del tubo digestivo.
El aceite que contienen (sulfuroso) es beneficioso en las enfermedades infecciosas.
Constituyen buen alimento para personas de trabajo intelectual.
Comiendo cebollas a diario sanan las enfermedades de la piel.

ÍNDICE

BIBLIOGRAFÍA

JORGE J. RODRÍGUEZ y ANA Mª SÁNCHEZ
Salud y larga vida por la alimentación
Editorial Terapión

CHANTAL DE ROSAMEL y VOLKHARD HEINRICHS
El gran libro de las especias
Editorial De Vecchi

CLARA CASTELLOTTI
Algas, su uso terapéutico y nutricional
Editorial Dilema

ALFONS SCHUHBECK
Meine Küche der Gewürze
Verlag Zabert Sandmann. Múnich 2009

BARRY SEARS
Dieta para estar en la zona
Editorial Urano

Dr. SOLEIL
Brotes y germinados caseros
Editorial Obelisco

LOUKIE WERLE y JILL COX
Ingredientes
Editorial Könemann

Dr. JORGE D. PAMPLONA ROGER
Salud por los alimentos
Editorial Safeliz

Dr. JORGE D. PAMPLONA ROGER y
Dra. ESTHER MALAXETXEBARRIA
250 Recetas que previenen y curan
Editorial Safeliz